LA
PROJECTION
ASTRALE

ÉDITION DU CLUB QUÉBEC LOISIRS INC.
© Avec l'autorisation des éditions Quebecor

Dépôt légal — Bibliothèque nationale du Québec, 1992
ISBN 2-89430-051-4
(publié précédemment sous ISBN 2-89089-731-1)

LA PROJECTION ASTRALE

J.H. Brennan

Traduit de l'anglais
par
Michèle Thiffault

TABLE DES MATIÈRES

Introduction

La «projection astrale» est une expression qui, malgré son usage répandu dans les milieux ésotériques, ne signifie pas la même chose pour tout le monde. Pour certains, elle suggère l'exode du corps physique qui se déplace dans le monde comme un fantôme, passe à travers les murs et les portes, tout en étant invisible (généralement) à ceux qui sont enfermés dans leur chair. Pour d'autres, c'est la projection de la conscience dans un tout autre monde, le légendaire plan astral, où les lois normales de la physique ne s'appliquent plus et où on peut expérimenter toutes sortes de phénomènes étranges et intéressants.

Même si elles portent le même nom et sont souvent confondues dans la littérature occulte, ces deux expériences sont très différentes. J'ai expérimenté les deux – la dernière beaucoup plus souvent que la première – et elles me semblent vraiment comporter des *mécanismes* distincts. Et les techniques utilisées pour les stimuler diffèrent également beaucoup.

Dans ce guide, je traiterai des *deux* formes de projection astrale. Afin d'éviter la confusion courante, je propose d'appeler la première (où vous parcourez le monde comme un fantôme) la *projection éthérée,* ou la *projection du fantôme.* L'autre expérience (où vous entrez dans un monde différent) sera appelée la projection astrale.

Vous devez savoir que l'habileté dans une forme de projection ne garantit pas le succès dans l'autre. Pour certains projecteurs éthérés, le plan astral est aussi mystérieux et étranger que la face cachée de la Lune. Et certains projecteurs astraux sont tout à fait incapables de séparer le fantôme dans le monde physique. L'avantage est que vous pouvez pratiquer seulement le type de projection qui vous intéresse, vous n'avez pas à faire les deux.

La première partie du livre porte sur la projection du fantôme. Vous y apprendrez les concepts de corps subtils, comment ces corps sont séparés au moment de la mort (et partiellement séparés pendant le sommeil) et comment ils peuvent être séparés consciemment par presque n'importe qui sans avoir à mourir d'abord.

La deuxième partie porte sur la projection astrale. Elle examine le plan astral lui-même, sa nature et sa localisation et vous montre comment y entrer au moyen de différentes techniques, dont les portes d'entrée astrales qui ont fait l'objet du premier livre que j'ai publié.

En terminant, après avoir essayé d'éliminer la confusion qui existe entre les deux types de projection, je me vois dans l'obligation d'ajouter que la projection éthérée peut parfois conduire accidentellement dans le plan astral. Une fois que vous aurez terminé ce livre, vous devriez savoir pourquoi.

Première partie

LA PROJECTION
ÉTHÉRÉE

1

Les fantômes vivants

En 1845, Mademoiselle Émilie Sagée, une spécialiste en langues, perdait une fois de plus son poste d'enseignante. Personne ne mettait en doute ses capacités, ses qualifications ou sa compétence; seulement, elle troublait ses élèves... qui pouvaient souvent la voir en double. La seconde Mlle Sagée pouvait se tenir à côté de la première près du tableau, ou partager le même repas. Parfois, la deuxième silhouette s'assoyait silencieusement dans un coin et regardait travailler la première. Elle la laissait quelquefois continuer sa leçon et allait se promener sur le terrain de l'école. Tout cela dépassait la direction de l'école pour jeunes filles près de Riga, capitale de la Lettonie. Sous la pression des plaintes de parents, on demanda à Mlle Sagée de plier bagages... tout comme l'avaient fait auparavant dix-huit autres conseils scolaires.

Mlle Sagée aurait eu plus de chance si elle avait enseigné en Afrique, où la tribu Azande croit que tout le monde a deux esprits, dont un – le *mbisimo* – quitte le corps pendant le sommeil. Ou à Burma, où le deuxième esprit est comparé à un papillon. Ou parmi les Bacairis de l'Amérique du Sud, qui (comme les Azandes) parlent d'une *ombre* qui voyage hors du corps pendant le sommeil. En fait, si l'on s'arrête aux recherches, il est très surprenant de voir que l'habileté de Mlle Sagée ait pu causer une telle consternation. Un sondage a démontré que pas moins de 57 cultures croient fermement à l'existence d'un deuxième corps, et cette liste est loin d'être exhaustive.

Dans *House Haunting,* une des premières nouvelles que j'ai publiées, je décrivais comment un jeune couple avait découvert la maison de ses rêves, qui leur avait été offerte à un prix étrangement bas. Questionné sur les motifs qui l'incitait à faire une offre aussi alléchante, l'agent immobilier admit, à contrecoeur, que la maison était hantée, mais il ajouta : «Ne vous en faites pas, madame, vous êtes le fantôme.»

Cette histoire, tirée d'un cas véridique, est particulièrement instructive. La dame en question était obsédée depuis des années par la maison de ses rêves; elle la dessinait et la voyait dans son esprit, s'imaginant marcher dans le corridor et les pièces. Lorsqu'elle découvrit, avec son époux et l'agent, que la maison existait, elle put en décrire l'intérieur *avant même d'y d'entrer.* Sa description était exacte en tout point, sauf un : elle parlait d'une porte verte qui n'existait pas. Cependant, l'agent immobilier pouvait confirmer l'existence d'une telle porte dans le passé, mais que, depuis, on l'avait remplacée par un mur de briques.

En tant que jeune auteur, j'avais omis, dans mon récit fictif, plusieurs détails qui me paraissaient plutôt bizarres. J'étais convaincu qu'ils détruiraient la crédibilité de l'histoire. Je n'étais alors pas conscient de l'étendue de ce genre de phénomène.

En 1886, les trois pères fondateurs de la *Society for Psychical Research,* Gurney, Myers et Podmore, publiaient un volume fort documenté intitulé *Phantasms of the Living* qui exposait 350 cas. En 1951, Sylvan Muldoon et Hereward Carrington ajoutaient une autre centaine de cas dans *Phenomena of Astral Projection.* Trois ans plus tard, Hornell Hart examinait 288 cas dans le *Journal of the American Society for Psychical Research.* Robert Crockall, un autre chercheur psychique, s'ajoutait à la liste et publiait, entre 1961 et 1978, pas moins de neuf livres relatant des cas. La scientifique Celia Green lançait un appel pour obtenir de l'information sur le sujet à la fin des années 1960 et recevait 360 réponses de gens ayant vécu des expériences personnelles. John Poynton ajoutait 122 cas en 1978. Lorsque ce livre paraîtra, encore plus de matériel sera sans aucun doute disponible.

Un incident survenu en 1863 montre bien le genre de cas étudiés. Un fabricant américain nommé Wilmot était à bord du *City of Limerick* lorsque le bateau essuya une tempête au milieu de l'Atlantique. Pendant la nuit, il rêva que son épouse, en robe de nuit, le visitait et l'embrassait. Même s'il n'avait rien dit de son rêve, son compagnon de cabine le taquina le lendemain au sujet de la visite nocturne qu'il avait reçue. Dès son retour chez lui à Bridgeport, son épouse lui demanda s'il avait reçu sa visite pendant la nuit. Elle était inquiète à cause des nouvelles d'un naufrage et avait voulu savoir s'il était en sécurité. Elle s'était donc visualisée en train de voler au-dessus de l'océan, de trouver le bateau et de se rendre à la cabine de son mari. Un homme étendu dans le lit du dessus la regardait droit dans les yeux, mais elle embrassa son mari quand même. (Steve Richards, dans *Traveller's Guide to the Astral Plane*, suggère qu'elle avait projeté plus que de l'embrasser, mais elle s'était retenue à cause de la présence d'une autre personne.) Lorsqu'on l'interrogea, elle put décrire avec précision le bateau, la cabine et l'homme qui la partageait avec Wilmot.

Bien que ce soit ce genre de cas manifestes que l'on retrouve dans les manuels, il est évident que la majorité des gens ont des expériences hors corps moins spectaculaires, susceptibles de les impressionner, eux, mais qui n'ont rien pour convaincre un étranger.

À titre d'exemple, il y a plusieurs années, j'étais au lit prêt à m'endormir lorsque je me suis retrouvé à une intersection de rues à environ 400 mètres de chez moi. Je regardai autour, confus, puis je retournai à mon corps dans un mouvement brusque. Je suis convaincu qu'il ne s'agissait ni d'un rêve ni d'une hallucination, mais cette expérience n'a aucune valeur comme preuve.

Dans ce cas, aussi mineur soit-il, j'avais au moins l'avantage de posséder quelques notions sur la projection astrale. Tous n'ont pas cette chance. À une occasion, je reçus la visite d'une jeune femme de 18 ans qui cherchait désespérément des conseils pour traiter son épilepsie. Ses «symptômes» étaient les mêmes que la projection éthérée spontanée. Le diagnostic d'épilepsie avait été établi par un médecin alors qu'elle avait huit ans et, depuis, elle recevait régulièrement des traitements de médicaments.

Que signifie tout cela? Pourquoi les réflexions d'une femme provoquent-elles l'apparition de son image dans la cabine d'un bateau en mer ou dans la maison à laquelle elle pensait? Comment Mlle Sagée pouvait-elle apparaître à deux endroits à la fois? Qu'est-ce que le *mbisimo* de l'Azande, le papillon de Burme, l'ombre andadura des Bacairis d'Amérique du Sud? S'agit-il d'une sorte de pathologie, la manifestation d'activité cérébrale épileptique, comme le croyait le médecin de ma visiteuse? Pour répondre à ces questions, nous devons nous aventurer dans le monde intimidant de l'anatomie occulte.

Malgré les chiffres cités précédemment, la pensée occidentale admet, de façon générale, l'existence d'un seul corps – celui qui tient ce livre en ce moment. Même les doctrines religieuses de l'âme et de l'esprit ont tendance à évoquer des abstractions sans forme beaucoup plus facilement que des images concrètes.

Dans l'ancienne Égypte, cependant, on croyait couramment que l'humanité avait trois âmes, connues sous les noms de *ba, ka* et *ib*. Le ba était l'esprit-oiseau, le ib était la terre, et le ka était connu, ce qui est très intéressant, comme le *double*. Les Égyptiens croyaient qu'il était l'image identique du corps physique, mais composé de matière plus fine. Le ka, sous une variété de noms différents, serait immédiatement reconnu par les initiés du yoga de l'Inde, du Tibet et de la Chine. Plusieurs systèmes de yoga postulent en fait toute une série de corps subtils, insérés l'un dans l'autre, à la manière des poupées russes. Cette notion, introduite en Europe et en Amérique par Mme Blavatsky et ses théosophes, s'est enracinée solidement dans la pensée ésotérique occidentale.

Le nombre de corps que vous avez vraiment dépend, jusqu'à un certain point, du sous-système spécifique que vous étudiez, mais la plupart des experts incluent un corps *éthéré* (parfois appelé *corps astral* ou *corps de désir*), un corps *mental* et un corps *spirituel*. Chacun possède ses caractéristiques, ses fonctions et sa sphère d'opérations. Chacun est composé de matière de plus en plus fine.

Dans cette section, il ne sera question que de corps *éthéré;* nous parlerons brièvement des autres dans la deuxième partie du livre qui porte sur la projection astrale.

Bien que la science, en général, ne reconnaisse pas le corps *éthéré*, certains scientifiques le font sans aucun doute, et d'autres, à l'esprit plus ouvert (ou peut-être tout simplement excentriques), ont essayé d'en savoir plus à ce sujet.

Dans les années 1920, par exemple, une série d'expériences macabres fut entreprise par le Dr Duncan McDougall, de Haverhill, au Massachusetts. Il décida de *peser* ses patients en phase terminale de tuberculose. Il les plaça – le lit et le reste – sur une balance très précise... et attendit. Au moment de la mort, il découvrit, dans quatre cas sur six, une perte de poids variant entre deux onces et deux onces et demie. Il en tira la conclusion que *quelque chose* quittait le corps au moment de la mort et, bien qu'invisible et intangible en apparence, ce quelque chose était suffisamment solide pour avoir un poids mesurable.

L'approche du D^r McDougall était d'une macabre simplicité, mais, à ma connaissance, aucun autre scientifique n'a essayé de répéter l'expérience, peut-être à cause de la difficulté de trouver une bonne source de patients en phase terminale. Cependant, un couple en est venu à des conclusions semblables, bien que par un chemin différent : les physiciens hollandais Malta et Zaalberg Van Zelst.

Travaillant à La Haye, les Van Zelst inventèrent, toujours dans les années 1920, un instrument très curieux appelé *dynamistographe*. Cet appareil, porteur d'une aiguille et d'un cadran lettré, était, au dire de ses inventeurs, capable d'entrer en contact direct avec le monde spirituel. Laissée seule dans une pièce (ou l'on observait par une petite fenêtre), la machine était manipulée par des esprits qui livraient de longs messages. Je ne comprends pas comment les Van Zelst utilisaient cet appareil pour mesurer le corps éthéré, mais ils affirmèrent, par la suite, qu'il était capable de s'élargir à 1/40 000 000 de son volume et de se contracter à 1/6 250 000. Il était composé d'atomes extrêmement petits et largement séparés, avait une densité 176,5 fois plus légère que l'air et pesait, en moyenne, 69,5 grammes.

Le dynamistographe ressemble tellement à une machine futuriste, qu'on pourrait retrouver dans un film comme *Retour vers le futur,* qu'il est difficile de le prendre au sérieux. Par ailleurs, bien que le travail du D^r McDougall fût intéressant, voire important, sa méthodologie était tout à fait bizarre. Une décennie plus tard, cependant, un autre scientifique américain, Harold Saxton Burr, professeur d'anatomie de Yale, entreprenait une série d'expériences beaucoup plus convaincantes.

Burr s'intéressait au potentiel électrique des êtres vivants, un domaine de recherche plus populaire aujourd'hui que dans les années 1930. Il monta un équipement de mesure qui semblerait rudimentaire de nos jours, mais qui lui permit néanmoins de détecter des phénomènes de champs électriques associés aux arbres et à d'autres plantes, à plusieurs animaux, dont les humains et même l'humus. Un voltmètre attaché à un arbre, par exemple, indiquait des fluctuations en réponse à la lumière, à l'humidité, aux tempêtes, au soleil et aux phases lunaires. Au cours des années, Burr en est venu à croire à l'existence d'un *champ de vie* qui, selon Lyall Watson, «garde la forme de l'organisme tout comme le moule détermine la forme d'un gâteau».

Dans *Blueprint for Immortality*, Burr remarque : «Lorsque nous rencontrons un ami que nous n'avons pas revu depuis six mois, pas une seule molécule de son visage n'était là la dernière fois que nous l'avons vu. Mais grâce au contrôle du champ de vie, les nouvelles molécules ayant pris le vieux moule familier, nous pouvons reconnaître son visage.» Les théories de Burr furent largement ignorées par la communauté scientifique pendant sa vie active, même si elles poussaient assez loin l'explication d'un des mystères les plus persistants de la biologie cellulaire. En termes simples, il s'agit de savoir comment certaines cellules de notre corps «savent» se développer en rein, alors que d'autres se développent en cerveau. Des tissus de pancréas greffés sur un nez ne susciteront jamais la croissance d'un nouveau pancréas dans le visage. Des éponges tamisées à travers une soie pour en séparer les cellules constituantes se reformeront, malgré tout, comme elles étaient auparavant. Et, plus impressionnant encore, on peut tamiser ensemble et mélanger les cellules de *deux différentes* éponges sans déranger le processus; elles se reformeront en individus distincts.

On croit depuis longtemps qu'une sorte de principe organisateur est associé à la matière vivante, et les scientifiques ont vainement consacré énormément de temps et d'efforts, pour isoler les substances chimiques ou les autres éléments du processus. Étant donné qu'il n'existe rien de mieux, le champ de vie de Harold S.Burr prend toute sa valeur. Même s'il a été accueilli avec peu d'enthousiasme par la communauté scientifique, il existe des preuves empiriques d'un «moule qui retient la forme de l'organisme».

Certains lézards peuvent se débarrasser de leur queue et en voir repousser une autre. D'autres, notamment la petite salamandre, peuvent développer des membres complets. (Lors d'une expérience désagréable, on a poussé une jeune salamandre à remplacer toutes ses pattes six fois dans une période de trois mois.) En 1958, le chirurgien Robert Becker a essayé de découvrir pourquoi la salamandre pouvait le faire alors que la grenouille, une sorte de batracien semblable, ne le pouvait pas. Des mesures précises lui ont permis de déterminer que l'extrémité des membres des deux animaux était chargée d'un courant négatif de 0,000002 ampère, un courant presque impossible à détecter. Ensuite, Becker amputa le membre antérieur de la salamandre et de la grenouille. Une fois l'opération complétée, il découvrit qu'il y avait toujours un faible courant électrique dans le moignon, mais la polarité était inversée.

Alors qu'une cicatrice se formait sur la blessure de la grenouille, la polarité positive est retournée graduellement à son courant négatif original. La salamandre a suivi un processus tout à fait différent. Le potentiel électrique du membre est d'abord tombé, pour ensuite s'élever à trois fois son niveau normal, devenant négatif en cours de route. La haute charge négative fut maintenue jusqu'à ce que le membre complet fut régénéré, en quelques semaines.

En tant que chirurgien, Robert Becker s'intéressait moins à la recherche pure qu'aux applications pratiques; il avait commencé ses expérience dans l'espoir de découvrir pourquoi les os fracturés refusent parfois de se souder. Il développa donc une minuscule pile qui produisait un courant semblable à celui de la salamandre. Lorsqu'on l'implanta dans le moignon d'une gre-nouille amputée, un membre complet fut régénéré exactement de la même façon que pour la salamandre. En 1972, le premier mammifère (un rat de laboratoire) connaissait une régénération partielle d'un membre avec un appareil semblable. Depuis, Becker a démontré que l'application d'un courant adéquat pouvait vraiment fermer les trous dans le coeur, régénérer les tissus ner-veux et prévenir l'infection. Des milliers de patients à travers le monde ont bénéficié de l'implantation d'une pile pour aider la guérison de fractures difficiles. Des milliers d'autres, incluant mon épouse, ont utilisé les stimulations électriques pour maîtriser la douleur chronique.

Bien que la science orthodoxe demeure réticente pour dis-cuter de la théorie, l'expérience a clairement démontré qu'il existe un aspect électrique dans le corps humain. La technologie s'est tellement développée depuis les premiers essais du chirurgien Burr pour mesurer le champ de vie qu'il est maintenant possible de se procurer un équipement assez sensible pour détecter les fluctuations du potentiel électrique de la peau pour moins de 200 dollars. Je possède un tel appareil qui n'est pas plus gros que la pointe d'un stylo à bille.

Les occultistes s'intéressent particulièrement au travail de Burr et de Becker, car la notion d'un champ de vie qui retient la forme de l'organisme s'apparente beaucoup aux anciennes idées d'un second corps. L'utilisation du mot *double* pour décrire le fantôme est trompeuse, car le terme suggère quelque chose de copié sur le corps physique. Mais plusieurs occultistes, particu-lièrement les cabalistes, ont longtemps cru le contraire. Ils con-sidéraient le fantôme comme la *fondation* du physique, un moule préexistant dans lequel il se développe. La doctrine ésotérique est très claire à ce sujet; elle maintient que, dans le cas d'une ampu-tation, par exemple, le corps éthéré demeure entier, ce qui explique pourquoi certains amputés souffrent de douleur ou de démangeaisons dans leur membre manquant.

Il semble y avoir peu de différences entre la notion du champ de vie de Burr et celle du corps éthéré, sauf peut-être sous un aspect important. Le Dr Burr soutient que le champ est partie intégrante de la créature vivante, un phénomène de matière vivante, possiblement même le facteur qui différencie ultimement ce qui est animé de ce qui ne l'est pas. Les occultistes[1], cependant, croient que le champ de vie – du moins dans le cas des êtres humains – peut être temporairement séparé du corps physique sans causer de tort ni à l'un ni à l'autre. Et dans le processus, le champ de vie peut devenir le véhicule de la conscience et de la perception.

---

1.   Ou certains occultistes. Douglas Baker croit que le corps éthéré ne peut jamais se séparer du corps physique pendant la vie et pense qu'un corps encore plus subtil, le vrai corps astral, est associé dans ce que j'appelle la projection du corps éthéré.

2

Qu'arrive-t-il lorsque vous quittez votre corps?

Même si on enseigna aux membres de l'ordre hermétique du Golden Dawn (une institution fondée en 1887) une méthode de projection éthérée, ils étaient tenus au secret au sujet de la technique. En conséquence, aussi tard que dans le milieu des années 1920, le chercheur psychique Hereward Carrington fut incapable de trouver de l'information sur le sujet, à part quelques travaux expérimentaux exécutés en France. L'expérimentateur français, Charles Lancelin, s'intéressait aux effets du «magnétisme animal», sujet fâcheusement confus, abandonné aujourd'hui non seulement par la science, mais aussi par les occultistes.

L'histoire du magnétisme animal remonte au célèbre Franz Anton Mesmer, qui croyait qu'un liquide subtil émanait à la fois des aimants magnétiques et du corps humain, et qu'on pouvait l'utiliser pour guérir une variété de maladies. Il développa une technique de magnétisation des patients; ceux-ci tombaient dans une transe convulsive d'où ils ressortaient libérés de tous leurs maux. En tant que guérisseur, Mesmer eut un succès remarquable et fut très populaire pendant un certain temps. Mais lorsque l'Académie française des sciences enquêta au sujet de ses revendications, le comité ne découvrit rien qui «ne pouvait s'expliquer par l'imagination».

Mais le point tournant du magnétisme animal n'est pas dû aux efforts frénétiques du milieu scientifique, mais au travail d'un admirateur de Mesmer qui essayait de suivre son exemple.

Le marquis de Puységur essaya de magnétiser un jeune pâtre et vit le garçon tomber dans ce genre de transe passive que nous appelons hypnose. Cet événement a tellement confondu les historiens de la science que souvent, encore, on reconnaît Mesmer comme le père de l'hypnose, même si ses techniques produisaient un genre de transe complètement différent.

M. Lancelin, semble-t-il, n'était pas confus et il magnétisa ses sujets exactement de la même façon que Mesmer le faisait. Dans leur état de magnétisés, il fut capable d'extraire en quelque sorte le corps éthéré du corps physique et de faire une série de tests afin d'indiquer quand cela se produisait. Il croyait qu'un certain tempérament était nécessaire pour réussir, mais ces propos de sujets sanguins, lymphatiques, nerveux et bilieux semblent dépassés et même bizarres aujourd'hui... tout comme, bien sûr, l'utilisation du magnétisme.

Hereward Carrington résuma le travail de Lancelin dans son livre *Modern Psychical Phenomena* et discuta du sujet plus en détail dans *Higher Psychical Development*. Il admit avoir trouvé la matière des deux livres inadéquate, mais cela représentait tout ce qu'il avait pu dénicher à ce moment. Tout cela allait bien vite changer.

En novembre 1927, le Dʳ Carrington recevait une lettre d'un certain Sylvan Muldoon, qui affirmait avoir oublié plus de choses sur la projection éthérée que Lancelin n'en avait jamais su. Il développait certains points de Lancelin et s'opposait à d'autres. Tout ce qu'il disait, prétendait-il, venait de son expérience personnelle. Muldoon avait 25 ans en 1927. Il avait eu sa première expérience hors corps à l'âge de 12 ans.

Carrington fut impressionné. Il rendit visite à Muldoon et, même s'il le trouva sérieusement malade – on le considérait en phase terminale –, il entreprit des expériences pour tester ses affirmations et l'encouragea à écrire un livre sur ses expériences. Muldoon le fit de son lit et *la Projection du corps astral* (qui cite Carrington comme coauteur) devint un classique, maintenant à sa cinquième impression et à une troisième génération de projecteurs. Malgré l'utilisation du terme *astral* dans le titre, Carrington indique clairement dans l'introduction du livre que Muldoon parle de ce que j'appelle la projection éthérée.

> Je tiens tout particulièrement à attirer l'attention du lecteur sur le fait qu'à aucun moment dans ce livre il n'est fait allusion à des choses absurdes ou fantastiques censées se produire au cours de ces «voyages dans l'astral». M. Muldoon ne prétend pas avoir visité de lointaines planètes ni en être revenu pour nous parler en détail de la façon dont on y vit; il ne prétend pas avoir exploré de vastes et merveilleux «mondes d'esprits». Il ne prétend pas avoir percé le passé, ni le futur, ni avoir revécu de précédentes réincarnations ou avoir consulté les «enregistrements Akashic»; il ne prétend pas non plus avoir remonté le cours du temps et avoir ainsi revu l'histoire de l'humanité ou les ères géologiques de notre terre.
>
> Il affirme, plus simplement, qu'il lui a été possible de quitter son corps physique à volonté, de voyager dans le présent et dans son environnement immédiat, d'une façon ou d'une autre, et cela tout en demeurant pleinement conscient[1].

---

1. Adaptation de l'anglais par P. Couturiau et S. Vanina.

Muldoon lui-même remarquait dans une lettre : «Je n'ai jamais eu la moindre expérience hors du corps où je me suis retrouvé ailleurs que sur la planète Terre... Je ne saurais où chercher «des plans supérieurs[1]».

Malgré les difficultés qu'avait rencontrées Hereward Carrington un an auparavant, Sylvan Muldoon n'était pas le seul à affirmer avoir une connaissance approfondie de la projection éthérée.

La *Occult Review* de 1920 publiait deux articles sur le sujet, écrit par Oliver Fox, un ingénieur, et intitulés *The Pineal Doorway* et *Beyond the Pineal Door*. La glande pinéale est un petit corps situé dans le cerveau très près de l'endroit, sur le front, où Hindus plaça le signe de caste. Les occultistes croient qu'il s'agit du vestige du célèbre troisième oeil et le centre des capacités psychiques. Les scientifiques ne sont pas convaincus au sujet des capacités psychiques, même s'il y a des preuves que la glande est sensible à la lumière et peut être un vestige de l'évolution. Elle sécrète une substance appelée sérotonine, associée à la croissance et, possiblement, aux expériences visionnaires. Pour M. Fox, c'était le point de sortie par lequel son second corps quittait le premier.

Vers 1902, alors que Fox était étudiant, il eut une expérience spontanée hors de son corps physique. L'expérience était très nette et réelle, mais certains changements mineurs dans son environnement le persuadèrent qu'il rêvait. La réalisation ne le réveilla pas. Au contraire, le «rêve» devint plus clair et se remplit d'une sensation de bien-être. Il en fut tellement impressionné qu'il décida d'essayer de faire de tels rêves consciemment. Ses pre-

---

1. Plus loin dans ce livre, vous apprendrez comment chercher les plans supérieurs si vous voulez transformer une projection éthérée en projection dans le plan astral.

miers essais déclenchèrent une douleur dans la région de la glande pinéale.

Avec le temps et la pratique, il réussit à obtenir le résultat qu'il cherchait et, éventuellement, il fut capable de quitter son corps à volonté. Par la suite, ses expériences semblent avoir été un mélange de projection éthérée et de projection astrale.

Carrington lui-même avait découvert une autre source d'information au moment où il révisait le manuscrit de Muldoon. Il s'agissait d'un livre publié en France, le *Fantôme des vivants*, d'Hector Durville. Tout comme Lancelin, Durville s'intéressait à la projection résultant de transes magnétiques et il décrivait une série d'expériences fascinantes dont des essais pour photographier le corps éthéré. Qu'arrivait-il à ces gens, et à bien d'autres depuis, qui affirmaient être capables de se séparer, plus ou moins à volonté, de leur corps physique? Les témoignages diffèrent considérablement et peuvent confondre ceux qui commencent à se familiariser avec la littérature.

Voyons-en deux descriptions :

> J'étais allé me coucher comme d'habitude aux environs de 22 h 30 et je dormi plusieurs heures. À la longue, je réalisai que je me réveillais lentement et il ne semblait pas que j'eusse la possibilité ni de me rendormir ni de me réveiller davantage...

> Je savais, au fond de moi-même, que j'existais quelque part... Peu à peu, j'eus l'impression que je reposais sur un lit, mais j'étais toujours désorienté quant à ma position exacte et incapable de bouger, comme si j'adhérais à ce sur quoi je reposais... Si l'on est conscient au début de la projection astrale, on se sent vraiment comme englué dans une position fixe.

> À un certain moment, la sensation d'adhérence diminua, mais pour être remplacée par une sensation tout aussi désagréable, celle de flotter. Tout mon corps rigide – je croyais qu'il s'agissait de mon corps physique mais c'était en réalité mon corps astral – se

mit à vibrer à grande vitesse en un mouvement d'ascension et de descente, et je pouvais sentir une forte pression qui s'exerçait dans ma nuque (région dite : *medulla oblongata*). Cette pression était impressionnante et se manisfestait par à-coups réguliers dont la puissance semblait faire vibrer tout mon corps...

Étant capable de voir, je fus plus qu'étonné! Je flottais! Je flottais dans l'air, rigide à l'horizontale, à quelques centimètres au-dessus de mon lit!... Lentement, en zigzaguant et en ressentant une forte pression au bas de la tête, j'évoluais, toujours à l'horizontale, et impuissant, vers le plafond.

À près de six pieds au-dessus du lit, je fus levé de la position horizontale à la position verticale et placé debout sur le plancher de la chambre comme si ce mouvement avait été dirigé par une force invisible, présente dans l'air même. Je restai ainsi ce qui me sembla deux minutes, toujours impuissant à me mouvoir de mon propre chef et regardant droit devant moi...

Enfin, la «force directrice» se relâcha. Je me sentis libéré, ne ressentant plus que la tension dans le bas de la tête. Je fis un pas, la pression s'accrut un bref instant et fit faire à mon corps un angle aigu! Je fis un effort pour me retourner : il y avait deux moi! Je commençai à me croire fou : il y avait un autre moi couché calmement sur le lit! Il m'était assez difficile de me convaincre de la réalité de la chose mais mon esprit, bien conscient, ne me permettait pas de douter de ce que je voyais.

Il s'agit de la première projection du corps éthéré de Sylvan Muldoon, à l'âge de 12 ans, dans une chambre d'un camp de l'Association de spiritualisme de la Vallée du Mississippi à Clinton, où sa mère l'avait emmené, poussée par la curiosité d'en savoir plus sur le spiritualisme. Aussi bizarre soit-il, ce témoignage est néanmoins honnête. Au contraire du récit suivant, alors qu'Oliver Fox décrit la façon dont il a quitté son corps :

J'ai dû me forcer à passer la porte de la glande pinéale... Je le faisais en état de transe, en me concentrant sur la glande pinéale et en désirant y passer. La sensation était la suivante : mon moi incorporel se précipitait vers un point de la glande pinéale et se lançait contre la porte imaginaire, alors que la brillance de la lumière dorée augmentait de façon à faire paraître la chambre enflammée.

Si l'élan était suffisant pour me faire passer, la sensation devenait alors inverse; mon moi incorporel s'affaissait et revenait en concordance avec mon corps physique, alors que la lumière astrale revenait à la normale.

Souvent, deux ou trois essais étaient nécessaires pour que je puisse générer assez de volonté pour me faire traverser. J'avais la sensation de me précipiter vers la folie ou la mort; mais une fois la porte refermée derrière moi, je jouissais d'une clarté mentale qui dépassait largement celle de ma vie normale. Et la peur avait disparu... Quitter mon corps était alors aussi facile que de sortir du lit.

Une fois qu'il eut quitté son corps, cependant, les expériences de Fox le convaiquaient qu'il rêvait :

Des centaines de fois, j'ai rencontré des incongruités flagrantes et, finalement, certaines inconsistances me faisaient croire que je rêvais; toujours, la connaissance amenait le changement que j'ai décrit... (*Une augmentation de vivacité et une sensation de bien-être* – JHB.)

Je découvris que je pouvais faire certains trucs avec ma volonté : léviter, passer au travers des objets solides, modeler la matière en formes nouvelles, etc.

Ces deux témoignages ont bien peu en commun et on peut facilement imaginer qu'il s'agit de la description de deux expériences différentes. Mais ce n'est pas le cas. Le premier témoignage, celui de Muldoon, décrit une projection du corps éthéré classique, sans, comme le faisait remarquer Carrington, la vision du monde des esprits ou autre chose.

Mais les mots «modeler la matière en formes nouvelles» dans le récit de Fox fournissent un indice intéressant. Comme vous le verrez dans la deuxième partie, cela est caractéristique de la projection sur le plan astral. Il semble que Fox était un de ces individus dont les projections du corps éthéré se confondaient avec les projections sur le plan astral, ce qui déconcertait ses disciples, et, je crois, lui-même. Le phénomène n'est pas rare. Robert Monroe, l'homme d'affaires américain qui se découvrit le talent de sortir et d'entrer dans son corps, commença tôt à se déplacer d'un monde à un autre. Bon nombre de sujets avec qui j'ai essayé d'utiliser l'hypnose pour déclencher la projection avaient tendance à faire la même chose. Cela amène des difficultés considérables dans la compréhension du phénomène, et même dans le développement de techniques fiables. Avant de tenter votre propre projection éthérée (ou astrale), il est bon de comprendre à fond comment cette confusion survient. Et je crois savoir comment.

Parler de la projection d'un second corps (éthéré, astral ou autre) est sans aucun doute une erreur. Lorsqu'une projection se produit, ce qui quitte le physique n'est pas seulement un corps subtil, mais une série de corps. Reprenons l'analogie de la poupée russe. Lorsque vous retirez la première poupée de la plus grande, vous retirez automatiquement toute la série des poupées qui se trouvent à l'intérieur.

Comme vous le verrez dans la deuxième partie, la projection sur le plan astral met aussi en cause un corps subtil. Non pas le corps éthéré, je crois, mais quelque chose d'encore plus ténu qu'un champ d'énergie, un corps que les occultistes croient composé de «matière spirituelle» – le vrai corps astral. Lorsque tous les corps coïncident – comme c'est le cas pendant la grande partie des activités de votre journée – ils se tiennent ensemble obstinément et la projection spontanée se produit rarement. Cependant, une fois que vous séparez les corps subtils du physique, il y a une baisse de la ténacité du système. C'est une façon détournée de dire que lorsque vous projetez le corps éthéré (avec le corps astral, mental et spirituel), il y a au moins une possibilité, et peut-être même une tendance, pour les corps profonds – par exemple le complexe astral/mental/spirituel – à se projeter spontanément.

Ainsi, d'une simple projection du corps éthéré comme celle que Sylvan Muldoon expérimentait invariablement, vous pouvez vous retrouver dans le monde astral, comme l'ont fait Fox, Monroe et d'autres.

Il est même possible de compliquer les choses davantage. Il faut mentionner la possibilité que les corps astral, mental et spirituel soient *déjà* séparés et actifs dans leur propre monde. Selon cette théorie, ce qui projette en réalité n'est pas le corps, mais le focus de la conscience. Mon expérience personnelle m'a fait me ranger à cette idée. Si vous avez de la difficulté à suivre à ce stade, ne vous en faites pas, tout deviendra plus clair une fois que vous aurez lu la deuxième partie.

Il importe peu maintenant de savoir quelle théorie est juste, puisqu'aucune n'est mise en cause dans l'aspect pratique de la projection. Avant de s'attaquer à la projection, il serait bon pour vous de savoir dans quoi vous vous engagez lorsque vous quittez votre corps.

3

Le câble astral

Le corps éthéré projeté est très semblable au corps familier dans lequel vous vous déplacez chaque jour. «Je croyais qu'il s'agissait de mon corps physique, mais c'était, en réalité, mon corps astral», écrivait Sylvan Muldoon dans le témoignage déjà cité. «Je crus que mon corps physique, tel que je l'avais toujours connu, s'était mystérieusement mis à défier les lois de la gravité; c'était trop inhabituel pour que je comprenne, mais trop réel pour que je nie...»

Une de mes premières expériences, déjà relatée ailleurs, mais qui mérite d'être répétée ici, souligne davantage jusqu'à quel point on peut confondre les corps physique et éthéré. Je me réveillai pendant la nuit avec un besoin d'uriner. Je sautai du lit, traversai la pièce, pour me rendre compte que la porte de la chambre était non seulement fermée, mais verrouillée. Je ne pouvais ouvrir la porte ni comprendre ce qui se passait. Il me fallut quelques instants pour réaliser que ma main *s'enfonçait* dans la poignée.

Je jetai un regard vers le lit et découvris mon corps (physique) encore couché aux côtés de mon épouse. Je retournai au lit, retombai en concordance avec mon physique et me dirigeai de nouveau vers la salle de bains. Arrivé devant la porte, je découvris que j'avais, encore une fois, laissé mon corps physique. Je retournai vers le lit; en fait, je dus y retourner plusieurs fois avant de convaincre mon corps physique de venir avec moi et d'ouvrir la porte.

Même si l'incident était insignifiant, il m'apprit beaucoup. La première chose qui me frappe, en y repensant, c'est que j'ai quitté le lit, traversé la pièce et suis demeuré devant la porte quelques instants *avant de prendre conscience que je n'étais pas dans mon corps physique normal.* C'est un point important. Étant donné que nous avons parlé d'un champ d'énergie (du moins d'une masse de matière pesant 2,5 oz), vous seriez certainement en droit d'imaginer que la sensation est tout autre. Mais elle ne l'est pas. Subjectivement, vous pouvez à peine sentir la différence. Je semblais avoir mon poids normal. Je semblais être sujet à la gravité. Je sentais la fraîcheur de l'air et la pression de ma vessie.

Mon environnement physique – les murs de la chambre, les meubles, la porte – paraissait tout à fait solide et normal, même si, comme je le découvris avec la poignée de la porte (et plus tard lorsque je passai complètement au travers d'une porte), je ne pouvais les toucher de façon normale, ni les *sentir.* C'était plutôt comme si je marchais dans un hologramme grandeur réelle. Mais il y avait une exception à la règle générale : je pouvais sentir le tapis sous mes pieds. La raison en est peut-être la façon dont la pensée humaine travaille. On peut supposer sans danger que, lorsque vous passez une vie dans un corps physique, vous développez des habitudes enracinées, associées à certaines choses, dont des habitudes de perception.

La plupart des psychologues sont convaincus que ce que vous voyez est conditionné par ce que vous vous attendez de voir.

Par exemple, une expérience intéressante a démontré que notre habileté à juger la longueur de lignes est influencée par des facteurs sociaux. Si un nombre suffisant de vos compagnons persistent à dire que la plus petite ligne est la plus longue, vous en viendrez à la voir ainsi.

L'action de marcher inclut une multitude de sensations subtiles, entre autres l'impression d'équilibre, le perception du terrain sous vos pieds, la longueur de chaque pas... combinées dans un flot continu qui vous permet de poursuivre votre promenade tout en parlant du temps qu'il fait. La grande partie de ce flot est inconsciente. En effet, marcher se fait de façon pratiquement inconsciente, à moins de ressentir de la douleur à cause d'un muscle endolori ou d'un cailloux dans un soulier. Marcher sur un terrain accidenté ou qui nous est peu familier peut demander de l'attention. Traverser, en marchant, la chambre où j'avais dormi pendant des années se faisait automatiquement. Je m'attendais à sentir le tapis sous mes pieds et, même dans mon corps éthéré, c'est exactement ce qui est arrivé. En d'autres mots, la sensation du tapis, dans le contexte de l'incident que j'ai cité, était une hallucination.

Si cela semble peu probable, on peut se rappeler que Carl Jung, un psychiatre et l'un des fondateurs de la psychologie moderne, insistait sur le fait que les hallucinations sont beaucoup plus répandues que les gens ne l'imaginent. Le problème est que nous avons tendance à douter de nos perceptions si elles sont bizarres. Ainsi, si vous traversez une pièce où se trouve un petit bonhomme vert dans une soucoupe volante, vous aurez certainement quelques doutes. Mais le cendrier sur ma table pourrait tout aussi bien être une hallucination, qui ne serait jamais remise en question à moins d'essayer d'y toucher.

Si la sensation du tapis sous mes pieds n'était qu'une réaction d'habitude, le besoin d'uriner était d'une tout autre catégorie. L'envie – que je continuais de ressentir dans mon corps éthéré –

est une réaction déclenchée par un mécanisme purement *physique* : la pression sur la vessie. Comme le corps éthéré, nous l'avons dit, forme un moule pour le corps physique plutôt qu'être sa réflexion, nous pouvons présumer que la vessie physique ne modifie pas sa contrepartie éthérée. Nous pouvons aussi présumer que, puisque l'envie d'uriner est un phénomène intermittent (espérons-le), elle ne provoquerait pas la même réaction conditionnée que le fait de marcher sur un tapis familier. Dans ces circonstances, nous restons dans le mystère. Comment ai-je pu (ainsi que d'autres projecteurs) sentir la pression d'une vessie pleine dans un corps qui n'en avait pas?

La réponse probable, bien sûr, est que je continuais à sentir la pression exercée par mon corps *physique*, ce qui nécessite un lien de communication entre les deux. Je n'ai jamais été conscient d'un tel lien dans mes projections éthérées, contrairement à Muldoon qui lui, voyait comme une sorte de cordon ou de câble :

> Mes deux corps semblables étaient reliés au moyen d'une sorte de câble d'apparence élastique. Une extrémité était attachée à la région *medulla oblongata* de la contrepartie astrale, alors que l'autre était centrée entre les yeux de la contrepartie physique. Ce câble, reliant les deux corps, s'étendait dans l'espace à peu près sur six pieds.

Le «câble» de Muldoon est un des aspects les plus intéressants de la projection du corps éthéré. Il est mentionné par plusieurs autres projecteurs, mais certains, comme moi, ont réussi à quitter leur corps sans même le remarquer. Et lorsqu'il apparaît, il enfreint plusieurs règles. Le câble semble être ce «cordon d'argent» dont il est fait mention dans la bible et qui, selon les écritures, se casse à la mort. Mis à part la mort, rien ne semble le déranger. Si on en juge par l'expérience d'Arthur Gibson, il s'étirerait obligeamment de l'Irlande jusqu'au continent indien. Et cela ne détermine pas l'étendue de son élasticité, puisque certains projecteurs ont raconté leur voyage hors de la planète au cours duquel le câble s'amincissait un peu, mais ne brisait pas. Pas plus qu'il ne s'emmêle. Cela n'est pas très surprenant puisque le câble, comme le reste du corps éthéré, passe au travers des objets physiques. Même lorsque deux projecteurs ou plus projettent simultanément, il ne semble jamais y avoir de problème avec ces câbles qui traînent.

Aussi utile que soit cette idée à certains égards, je soupçonne que l'analogie d'un câble d'une élasticité infinie n'est pas tout à fait juste. Ce qui est perçu comme un câble me semble n'être rien de plus qu'une impression subjective d'un lien précis, impression qui n'est pas toujours présente. S'il en est ainsi, c'est l'impression qui est importante, et non le fait qu'il y ait un câble réel. L'existence d'un tel lien semble presque incontestable et explique pourquoi certaines sensations physiques (comme ma vessie pleine) peuvent être transmises au corps éthéré qui les ressent – plus ou moins – comme les siennes.

Ce lien explique pourquoi les occultistes ont longtemps tenu à mettre en garde contre les interférences avec le corps physique d'un sujet qui est en état de projection. Même un léger toucher suffit à avertir le fantôme qui revient brusquement dans son enveloppe physique peu importe la distance qui les sépare. J'ai expérimenté ce phénomène – qui est parfois accompagné d'un bruit métallique subjectif, comme du métal frappant contre du métal – et je peux vous assurer que c'est à éviter. Même si cela ne m'a jamais fait beaucoup de mal, la littérature ésotérique prévient que cela peut déclencher des maux graves, jusqu'aux crises et aux arrêts cardiaques. C'est, sans aucun doute, une expérience extrêmement déplaisante.

La communication entre le corps physique et le fantôme est un processus bidirectionnel. Ce qui signifie qu'un traumatisme ressenti par le corps éthéré peut être transmis à son double physique. Marvel Comics publiait, il y a plusieurs années, une charmante fantaisie dans laquelle, au cours d'une projection astrale, le fantôme d'un sorcier rival attaquait Strange, le «Maître des arts mystiques». Quelqu'un chez Marvel a dû entreprendre des recherches approfondies, car le fantôme de Strange était relié à son corps physique par un câble semblable à celui que décrit Muldoon... et que son rival essayait de couper avec un couteau astral. Bien que ce genre d'histoire soit amusant, il a peu de ressemblance avec la réalité. Mais le principe derrière l'attaque du fantôme du Dr Strange est assez juste : si vous blessez le corps éthéré, vous blesserez aussi le corps physique. À moins de vous retrouver dans une situation étrange, le pire malaise physique auquel vous êtes exposé est un mal de tête, mais il est possible que vous ayez aussi quelques ecchymoses, dont l'origine n'est pas totalement évidente.

L'existence d'un lien permet au fantôme de contrôler le corps physique – d'une certaine manière – de loin. Au cours d'une série de projections, je me retrouvais typiquement flottant à moins de 30 cm au-dessus de mon corps physique que je pouvais bouger (avec quelques difficultés) et par lequel je pouvais parler. La sensation était très étrange, comme si je manipulais une marionnette avec des ficelles.

Le lien, ou le cordon, maintient une légère traction sur le fantôme au cours de la projection; et, comme le notait Sylvan Muldoon, la traction augmente en se rapprochant du physique. Une fois le point critique dépassé, qui varie un peu d'un sujet à un autre, mais qui est habituellement d'un ou deux mètres, l'action du cordon ramène soudainement le fantôme dans le physique. Cet effet rend très difficile l'observation rapprochée du corps physique pendant l'extériorisation.

Tout au plus, cette découverte permet de rassurer les projecteurs inexpérimentés qui se posent fréquemment la question : Qu'est-ce qui arrive si je ne peux pas retourner dans mon corps physique? Presque tous les témoignages, y compris celui de Muldoon, insistent sur le fait que le problème n'est pas de réintégrer le corps, mais de réussir à rester à l'extérieur, surtout si vous vous approchez trop près du physique.

Un autre effet donne aussi une réponse rassurante à la question : Qu'est-ce qui arrive si je voyage trop loin dans mon corps éthéré et si je me perds sans pouvoir retrouver mon chemin? Si vous êtes conscient du câble, vous n'avez qu'à vous remonter comme un poisson; ou vous pouvez le suivre comme le fil d'Ariane dans le labyrinthe du Minotaure. Si vous ne l'êtes pas, il n'y a pas lieu de vous inquiéter car les voyages du corps éthéré se limitent d'eux-mêmes. Lorsque votre corps physique devient mal à l'aise, ou qu'il a faim, ce qui doit inévitablement arriver, la «traction» augmente progressivement jusqu'à ce qu'elle devienne irrésistible. Si vous ne pouvez pas attendre, Robert Monroe suggère de penser à une partie du corps et d'essayer de la bouger (par exemple bouger les orteils). Cela, dit-il, suffit pour vous faire réintégrer instantanément votre corps physique.

Si vous demeurez hors de votre corps pendant un certain temps, vous remarquerez plusieurs différences entre ce qui se passe alors que vous vivez votre expérience et votre mode d'opération physique normal.

Le plus spectaculaire est, bien sûr, l'habileté à passer au travers des objets solides. Robert Monroe, qui devint un projecteur très expérimenté, raconte comment cette habileté particulière lui donna l'indication que ce qui lui arrivait n'était pas une sorte de maladie.

Monroe eut beaucoup de difficultés avec sa première projection. Longtemps avant qu'elle ne se produise, il commença à souffrir de crampes et de rigidité dans le haut de l'abdomen. Pendant quelques semaines, ces sensations furent suivies d'attaques temporaires de paralysie pendant lesquelles tout son corps semblait trembler violemment, comme cela se produit dans le cas de la malaria. (La sensation était subjective; aucun tremblement du corps physique ne se produisait.)

Monroe écrivait :

> Je connus le même état à neuf reprises au cours des six semaines suivantes. Il se manifesta à des heures et en des endroits divers. Un seul point commun se dégageait : cela se produisait toujours peu après que je me fus allongé pour dormir ou me reposer. Je m'efforçais à chaque fois de m'asseoir et le «tremblement» cessait progressivement.

À l'instar du médecin de ma jeune visiteuse, Monroe crut à la possibilité d'épilepsie, mais abandonna l'idée pour la raison que les épileptiques ne se souviennent pas de leurs crises, alors que ses souvenirs de l'expérience étaient très clairs. Il soupçonna un trouble au cerveau, possiblement une tumeur, et consulta un médecin. Son médecin lui dit qu'il travaillait simplement trop fort et lui suggéra de perdre du poids.

Les «symptômes» de Monroe continuaient à se produire périodiquement et, comme il arrive dans de tels cas, sa crainte initiale disparut et il en vint à trouver l'expérience plutôt ennuyeuse. Lorsque les «vibrations», comme il les appelait, commençaient, il attendait simplement qu'elles passent. À un occasion, alors qu'il attendait, son bras pendait du lit et ses doigts frôlaient le tapis.

> J'essayai sans raison de bouger mes doigts et je constatai qu'il m'était possible de gratter le tapis. Sans accorder attention au fait que je parvenais à bouger mes doigts pendant la vibration, je poussai leur extrémité contre le tapis. Après une brève résistance, mes doigts s'enfoncèrent dans le tapis et touchèrent le sol. Je cédai à la curiosité et aventurai ma main plus avant. Mes doigts traversèrent le plancher et je sentis la surface rêche du plafond de la chambre d'en-dessous... Il ne laissait aucun doute; j'étais totalement éveillé et la sensation subsistait. Comment se pouvait-il que je sois conscient à tous les égards alors que je continuais à «rêver» que mon bras traversait le plancher de ma chambre?

Mais les bras qui passent au travers du plancher et, dans mon cas, les mains passant au travers des poignées de portes ne sont pas les seules particularités de la projection. Il y a, par exemple, une légère différence dans la qualité de la lumière, qui semble curieusement plate. Même si Oliver Fox parle d'une lueur dorée, cela semble être une intrusion du plan astral, et ce n'est pas quelque chose que les projecteurs du corps éthéré expérimentent, en général. En fait, plusieurs ne rapportent aucune particularité au sujet de la lumière, ce qui n'est pas surprenant puisque la différence n'est pas assez prononcée pour être remarquable.

Ce qui *est* très marquant au début, c'est la façon dont le corps éthéré se déplace. Muldoon parlait de trois «vitesses de déplacement», ce qui se produit dans mon cas. La première est la vitesse naturelle ou normale. Lorsque je me déplaçai de mon lit vers la porte, je le fis de la même façon qu'avec mon corps physique. Plus tard, je me déplaçai dans les pièces et descendis les escaliers tout aussi naturellement.

La deuxième vitesse, décrite par Muldoon comme la vitesse intermédiaire, est considérablement plus rapide et est associée à un phénomène qui n'a pas de contrepartie physique, du moins pour le commun des mortels. Cette vitesse équivaut, en gros, à voyager sur le dos d'un cheval rapide, ou à conduire une automobile. Le phénomène qui lui est associé est la lévitation.

Il a déjà été question de lévitation sans faire mention du nom, dans un des témoignages de Muldoon. Vous vous souvenez peut-être que, pendant sa première projection, il *flottait* au-dessus de son corps physique dans un état de paralysie avant qu'un certain processus ne le lève. J'ai éprouvé cette même sensation de flotter à trente ou soixante centimètres au-dessus de mon corps physique lors de projections mineures, mais – plus intéressant encore – j'ai remarqué que lorsque je descendais ou montais des escaliers pendant une extériorisation, mes pieds étaient en réalité à quelques centimètres au-dessus des marches. Cela est très significatif de la vitesse de déplacement intermédiaire de Muldoon, car mon expérience suggère que ce mode de déplacement est associé à la lévitation. Vous vous déplacez à un rythme très satisfaisant et *vos pieds sont à une certaine distance du sol.* Des récits encore plus bizarres de projecteurs qui ont voyagé dans l'espace indiquent que la lévitation dans le corps éthéré peut être poussée à l'extrême.

La troisième vitesse dont parle Muldoon n'en est pas vraiment une; il s'agit plutôt d'un déplacement instantané qui n'a aucun équivalent physique, sauf peut-être dans la science fiction. Elle est assez facile à décrire. Vous *pensez* à votre destination et, lorsque vous avez le tour, vous vous y retrouvez instantanément.

La sensation de mouvement est inexistante. Muldoon croyait que l'esprit ne pouvait supporter la vitesse en question et qu'il se produit un black-out momentané, mais je doute que ce soit le cas. Il me semble que ni la vitesse ni le mouvement ne sont en cause ici; il s'agit plutôt d'un *principe* de transport différent qui permet le transfert instantané d'un endroit à un autre. Il est certain qu'aucune sensation de temps écoulé ni de distance semble être un obstacle.

Du moment que vous ne vous laissez pas glisser dans la projection dans le plan astral, l'information que vous avez déjà absorbée devrait vous permettre de fonctionner avec un degré raisonnable de confiance lorsque vous vous retrouverez hors de votre corps. Mais, à ce stade du livre, après avoir parlé de bizarreries comme passer au travers des murs, de lévitation et de voyages instantanés, deux questions se posent : est-ce réel... et est-ce dangereux?

Ces deux questions méritent des réponses franches avant d'aller plus loin dans l'étude des techniques qui vous permettront de répéter les exploits de Fox, Muldoon, Monroe et bien d'autres.

4

Les dangers
de la projection

Robert Allen Monroe a étudié le commerce, le génie, le journalisme et la littérature à l'Université de l'Ohio. En 1937, il travailla comme éditeur-directeur dans le domaine de la télédiffusion. Appelé à travailler à New York, il écrivit des chroniques et des scénarios avant de commencer une série de documentaires dramatiques pour la radio. À la fin de la Seconde Guerre mondiale, il mit sur pied sa propre compagnie de production et entreprit une carrière en affaires où il eut beaucoup de succès. En 1958, il expérimentait sa première projection du corps éthéré.

En 1986, *Souvenir Press*, en Angleterre, publiait *Far Journeys*, son deuxième livre sur le sujet, lequel commence comme ceci :

Une première constatation : je peux dire que je suis physiquement en vie après 25 ans d'expériences d'exploration personnelle hors corps. Un peu usé, mais encore plus ou moins opérationnel.

Il y eut plusieurs moments où je n'en étais pas sûr. Cependant, les médecins m'ont assuré que les problèmes physiques que j'ai rencontrés relevaient du fait que je vivais dans la culture/ civilisation américaines du milieu du XXe siècle. D'autres croient plutôt que je suis encore en vie *grâce* à mes activités EHC. Faites votre choix.

Il semble donc qu'on peut pratiquer des expériences hors corps régulièrement et survivre. De plus, après avoir été examiné régulièrement par des experts, je peux encore affirmer être raisonnablement sain d'esprit...

Même pris à la légère, il s'agit d'un point très important. L'abandon du fantôme est si solidement associé à la mort dans plusieurs cultures qu'il est tout à fait raisonnable de se demander si la séparation temporaire est sécuritaire. Monroe a donné sa réponse : il n'est ni mort ni fou après un quart de siècle de pratique. Et sa réponse est corroborée par d'autres.

Sylvan Muldoon était très malade lorsqu'il contacta le Dr Carrington pour la première fois. «J'aurais tellement voulu être en meilleur état lorsque j'écrivais ce livre; je suis persuadé que j'aurais fait un bien meilleur travail; tel qu'il est, chaque mot m'a coûté un effort!» En fait, certains mots furent écrits alors qu'il était trop malade pour sortir du lit. Pendant cette période, Muldoon réussit à se projeter fréquemment sans se tuer, malgré son état sérieusement affaibli. En effet, il développa une théorie voulant que la maladie *favorisait* ses capacités de projection. Il croyait qu'elle relâchait en quelque sorte le corps éthéré.

S'il est improbable que la projection vous tue, existe-t-il d'autres problèmes de sécurité? La question de réintégration du corps a déjà été traitée (suivez le cordon ou bougez les orteils) et ne présente pas de difficulté. Monroe a déjà tenté de réintégrer le mauvais corps – la seule fois où j'ai entendu parler d'une telle chose – mais dit que la technique «des orteils» résout aussi ce problème.

Est-ce que quelqu'un, ou *quelque chose*, peut entrer dans *votre* corps lorsque vous êtes à l'extérieur? Même si l'expérience de Monroe d'essayer d'entrer dans un autre corps par mégarde peut suggérer que cela est possible, il semble que ce soit peu probable. «Au cours des 15 ans passés à travailler en laboratoire avec des sujets et avec des participants à des programmes, aucun incident n'aurait pu être interprété, même vaguement, comme une «possession» ou comme quelque chose de destructeur ou d'incontrôlable», affirme-t-il catégoriquement.

Je ne trouve rien dans la littérature publiée qui suggère que l'expérience hors corps est plus dangereuse que de traverser la rue.. et elle l'est peut-être beaucoup moins. Ni mes expériences nombreuses avec les projecteurs ni mon expérience personnelle moins grande avec la projection ne m'amème à croire qu'il puisse en être autrement. Le pire qui semble arriver est un mal de tête occasionnel, une petite douleur ou une raideur; Monroe affirme que ces malaises sont simplement le résultat d'anxiétés inconscientes et qu'ils disparaissent une fois que vous surmontez vos craintes naturelles envers la projeciton.

Certains projecteurs sont convaincus que tout le monde, avec un peu d'entraînement et d'efforts, a la capacité de quitter son corps. Muldoon et un ou deux autres adeptes vont encore plus loin; ils suggèrent que la projection est une fonction naturelle que vous *expérimentez déjà*, que vous le réalisiez ou non. Selon cette théorie, le corps éthéré sort de la concordance avec le corps physique pendant le sommeil, un processus qui permet de refaire le plein d'énergie vitale.

Si la projection semble sécuritaire, elle n'est pas toujours plaisante. Elle peut même parfois être très désagréable. Ce léger décalage – Muldoon affirme qu'il se produit pendant le sommeil – peut causer la désorientation, des problèmes d'équilibre et une sensation de maladie s'il survient lorsque vous êtes éveillé. (Ces symptômes sont des signes de plusieurs états, mais si vous soupçonnez un décalage du corps éthéré, une pression ferme sur le dessus de la tête, au centre de la ligne imaginaire tracée entre les pointes des oreilles, règle habituellement le problème.)

Un autre exemple de projection partielle spontanée est la sensation de secousse que plusieurs personnes éprouvent lorsqu'elles s'endorment, surtout si elles sont très fatiguées. Typiquement, cela se produit lorsque vous vous couchez après une journée éreintante, ne cherchant que le sommeil, mais ne pouvant arrêter de repenser aux événements de la journée. Dans ces circonstances, lorsque vous commencez à vous laisser aller, le résultat est souvent une sensation de secousse violente qui vous rend complètement éveillé à nouveau. Selon le Dr Douglas Baker, cette sensation est le résultat du double décalage du physique, qui revient brusquement à l'intérieur. Dans un sondage effectué lors d'un conférence sur le sujet, il découvrit qu'environ 60 p. cent de l'audience avait éprouvé cette sensation. Comme je fais partie de ces derniers, je peux vous dire que je préférerais l'éviter.

La première indication d'une projection complète est souvent la paralysie de tout le corps, ce que Muldoon appelle la catalepsie ou la sensation d'adhérence. Un collègue écrivain déclencha l'état de catalepsie alors qu'il essayait de simuler une projection et me confia plus tard que c'était l'expérience la plus désagréable et la plus terrifiante qu'il ait jamais faite. La plupart des gens ont une réaction de dégoût, de malaise, de crainte ou même de panique, surtout s'ils n'ont pas été prévenus à l'avance d'une telle éventualité.

Les «tremblements» ou les «vibrations» dont parle Robert Monroe ne sont pas rares non plus; et c'est une expérience presque toujours désagréable. Une partie du problème vient du manque de contrôle. Lorsque la paralysie ou les vibrations commencent, il faut un effort énorme pour s'en séparer – et dans certains cas, le sujet est impuissant et ne peut qu'attendre que l'état passe. Un autre aspect de ce phénomène est que les symptômes ressemblent à ceux de la maladie, une maladie sérieuse. Même si vous êtes prévenu d'une telle possibilité, vous avez tendance à vous demander s'il s'agit *réellement* du début de la projection ou si, par pure coïncidence, vous n'êtes pas en train de faire une crise ou une attaque cardiaque.

Il serait injuste de trop insister sur ces facteurs négatifs. Les quelques projections que j'ai effectuées se sont déroulées sans problème; et un des meilleurs projecteurs que je connaisse affirme que tout le processus est une simple question de «laisser-aller», ce que cette personne fait avec une telle compétence qu'elle peut sortir de son corps et y entrer à volonté, sans catalepsie, vibrations ou tout autre symptôme. Mais il est vrai que certains projecteurs ont des problèmes. Et si les avertissements concernant les symptômes ne rendent pas ceux-ci plus agréables, ils peuvent peut-être vous rassurer un tant soit peu, jusqu'à ce que vous vous y habituiez.. ou appreniez à les éviter.

S'il est relativement facile de répondre à la question de la sécurité, il est plus difficile d'aborder la *réalité*. Il se produit sans aucun doute *quelque chose* d'étrange. Si je n'avais pas moi-même vécu ce phénomène, je serais quand même convaincu que les projecteurs vivent une expérience extraordinaire, ne serait-ce parce que l'activité électrique du cerveau change dramatiquement pendant la projection. Par exemple, dans une série d'expériences, je fus capable de contrôler l'activité cérébrale d'un sujet qui se projetait à l'aide d'une transe hypnotique provoquée. Les résultats montrèrent d'abord un rythme alpha typique de l'hypnose, ensuite un bond net dans l'intensité au moment de la projection. À partir de ce moment, il fut possible de suivre le progrès du corps éthéré dans la pièce, puisque l'intensité cérébrale variait selon la position perçue du sujet (hors du corps).

Charles T. Tart rapporte des tests beaucoup plus sophistiqués effectués avec Robert Monroe, de septembre 1965 à août 1966, grâce aux installations du laboratoire d'électro-encéphalographie de l'École de médecine de l'Université de Virginie. Pendant ces expériences de projection, on contrôla l'activité cérébrale, le rythme cardiaque et les mouvements des yeux de Monroe. Les tests indiquaient typiquement des modèles d'activité cérébrale associés au rêve et ils étaient accompagnés de mouvements rapides des yeux, aussi associés au rêve. Le rythme cardiaque de Monroe demeura au niveau normal de 65 à 70 battements par minute, mais au cours des séances, sa pression sanguine tomba soudainement, demeura basse (apparemment pendant la période où il était hors du corps) et revint soudainement à la normale.

Un peu plus de dix ans plus tard, Monroe se soumit à des tests additionnels avec les Drs Stuart Twemlow et Fowler Jones au centre médical de l'Université du Kansas, en utilisant un électro-encéphalographe sur les parties droite et gauche de l'occipital et un polygraphe de Beckman. (Ce dernier, couramment appelé un détecteur de mensonges, est en fait utilisé pour mesurer une variété de fonctions physiques telles que les réactions galvaniques de la peau, les variations de température et les fluctuations de la pression sanguine.)

Les tests avaient tendance, de façon générale, à confirmer les résultats de Tart voulant que l'état de projection de Monroe fut très similaire, sinon identique, au sommeil léger (rêve). Cependant, il y avait «une réduction spectaculaire de l'énergie des neurones sur la bande alpha et thêta», tout à fait le contraire de mes propres découvertes sur des sujets sous hypnose. Il y avait aussi, rapportaient Twemlov et Jones, «certains modèles inhabituels de la phase des mouvements rapides des yeux ou de rêve du sommeil.»

Le polygraphe donna des résultats encore plus intéressants. Les réactions galvaniques de la peau montraient une augmentation de 150 microvolts au début de la séance, mais aucune réaction pendant les projections de Monroe.

Pour rendre le tout encore plus confus, Tart fait mention d'une jeune femme, dont les expériences hors corps étaient accidentelles, mais fréquentes, qui montrait une activité cérébrale différente de celle de Monroe, sans toutefois indiquer de quelle façon.

Manifestement, le contrôle des corps des sujets démontrent des réactions psychologiques qu'il serait difficile, sinon impossible, de truquer et qui coïncident avec l'expérience de projection du sujet. Mais ces réactions ne forment pas un modèle cohérent et varient d'un sujet à l'autre. Il semble que la projection provoque des réactions physiques précises, mais ces réactions diffèrent selon l'état dans lequel vous vous trouvez en premier lieu.

Ce type d'expérience est très bien et sans aucun doute important dans son propre cadre de référence, mais quelles que soient les manifestations d'activité cérébrale et de GSR, elles nous disent uniquement que les sujets qui affirment se projeter ne sont pas des menteurs. Elles ne donnent aucune garantie sur la validité objective des projections. En effet, les mouvements rapides des yeux du premier stade du sommeil démontrés dans les expériences de Monroe pourraient simplement indiquer qu'il rêvait.

Évidemment, tous les scientifiques qui ont étudié Monroe n'étaient pas prêts à accepter la nature *objective* de la projection. Un article publié par Twemlow et Glen O. Gabbard commence par une analyse plutôt antipathique des traits de personnalité de Monroe. Selon eux, ces traits trahissent un conflit potentiel dans le domaine de la sexualité, de l'agression et de la dépression. Ils poursuivent en décrivant ses expériences hors corps comme une «fantaisie grandiose» connue sous le nom «d'expérience de Dédale». Cet état psychologique, nommé d'après le Grec qui vola trop près du Soleil, apparaît typiquement dans l'enfance, mais ne disparaît pas toujours par la suite.

«La fascination des voyages hors corps retrouvée chez Monroe est probablement un dérivé adulte de la fantaisie de Dédale», écrivaient Twemlov et Gabbard, qui concluaient plus tard : «Ainsi, l'expérience hors corps de Monroe a aussi pour fonction d'éviter le conflit. En s'échappant de la prison de son corps, il lui est possible d'éviter certains conflits potentiels comme la sexualité, la dépression et l'agression.» En résumé, les projections de Monroe sont présentées comme une réaction hystérique à un état essentiellement névrosé.

Si de telles balivernes dérangent Monroe, il peut se consoler en pensant aux autres, soupçonnés également de souffrir de la fantaisie de Dédale, dont Tolstoï et Sir Winston Churchill. De plus, si Dédale est la dynamique de la projection, la fantaisie est considérablement répandue. En 1954, un sondage étudiant démontrait que 27,1 p. cent des répondants avaient eu une expérience hors corps, dont la majorité, plus d'une fois. Une étude faite par Celia Green auprès des étudiants de premier cycle d'Oxford obtint un pourcentage encore plus élevé (34 p. cent). Ces deux études furent menées sur une petite base sélective, mais, en 1975, on procéda à un échantillonage beaucoup plus vaste, qui démontra un taux d'expérience hors corps de 25 p. cent chez les étudiants et de 14 p. cent au sein de la population en général. Même ces données ne représentent peut-être que la pointe de l'iceberg. En 1976, lorsqu'une publication nord-américaine à grand tirage lança un appel pour de l'information sur le sujet, 700 des 1500 répondants affirmaient avoir eu des expériences hors corps, soit un pourcentage renversant de 46,6.

Cela signifie-t-il qu'une grande partie des gens sont fous... ou existe-t-il une possibilité réelle que l'expérience subjective de sortir du corps soit conforme à la vérité? Quelque 94 p. cent des personnes interviewées affirmaient que l'expérience était «plus réelle qu'un rêve». Mais sur quelles preuves s'appuient leurs dires?

Commençons par le cas du projecteur Arthur Gibson qui, je vous le rappelle, réussit à étirer son câble astral jusqu'en Inde. Son compte rendu sur Bombay était précis et détaillé, mais ne constitue guère une preuve puisqu'il avait vécu et demeuré dans cette ville pendant plusieurs années. Cependant, en plus des lieux familiers, Arthur en découvrit deux inhabituels. Dans le vieux quartier de la ville, on avait construit un nouveau mur où il n'existait rien auparavant; et son restaurant préféré avait été redécoré. Arthur vérifia l'authenticité de ses perceptions avec un ami qui vivait toujours à Bombay pour découvrir qu'elles étaient justes. Dans une expérience plus facile à contrôler, j'hypnotisai Arthur et lui demandai de se projeter dans la maison voisine où il n'était jamais entré physiquement. Il put en décrire la disposition, les pièces, la décoration et les meubles avec précision et avec de nombreux détails, sans difficulté apparente.

Une expérience similaire fut conduite avec une adolescente, Denise Alexander, à qui on demanda, encore une fois sous hypnose, de se projeter de Kill, en Irlande, jusque dans une maison de Lisburn en Irlande du Nord, soit une distance d'environ 160 km. Sur une table du salon de la maison de Lisburn, une courte note l'attendait, dont le contenu était connu uniquement de deux collègues qui, après avoir laissé la note, n'avaient pas participé à l'expérience. (Ils étaient partis en vacances au moment de l'expérience.) Denise ne put lire la note – elle dit que la pièce était trop sombre – mais elle put rapporter (justement) qu'elle était écrite en lettres moulées sur du papier bleu non ligné et qu'elle contenait exactement cinq mots.

Ces deux expériences ont d'abord été publiées dans mon livre *Astral Doorways* en 1971. Depuis, j'ai pu facilement demander à des sujets de rendre compte précisément des scènes, des gens et des choses qu'ils avaient vus lorsqu'ils étaient hors de leur corps. Il existe seulement un nombre limité d'explications concernant cette exactitude, si vous acceptez le fait qu'il n'y avait aucune fraude dans ces expériences. La télépathie en est une. La clairvoyance – la perception directe d'événements éloignés – en est une autre. Et la projection est la troisième.

Il est difficile de voir comment la télépathie aurait pu jouer un rôle dans le voyage d'Arthur Gibson à Bombay, puisque aucune autre personne présente n'avait visité la ville et y était intéressée de façon spéciale. L'expérience avec Denise Alexander avait été spécifiquement structurée pour éviter la possibilité de télépathie : les deux seules personnes à connaître le contenu de la note étaient dans un lieu inconnu au moment de l'expérience.

C'est plus difficile avec la clairvoyance. Je suis assez convaincu (pour des raisons qui ne nous intéressent pas ici) qu'il est possible, pour certaines personnes, d'obtenir de l'information à distance sans quitter leur corps. (Et un aspect de l'entraînement décrit dans la deuxième partie de ce livre tend, par pure coïncidence, à stimuler cette faculté.) Mais l'expérience *subjective* de la clairvoyance est très différente de la projection. Si nous insistons sur la clairvoyance comme explication, nous devons insister sur la clairvoyance accompagnée d'une hallucination précise... ce que je trouve franchement difficile à avaler.

J'ai tendance à croire que les expériences que j'ai effectuées étaient convaincantes et que les sujets étaient vraiment projetés. Mais un défaut (peut-être important) discréditait ma méthode. Toutes les projections, sans exception, étaient provoquées par hypnose. Puisque l'hypnose peut produire des hallucinations claires, on peut penser qu'il s'agissait d'un phénomème de transe plutôt que de projection. Heureusement, les indices de projection réelle ne sont pas limités à mes pauvres efforts.

Tart, par exemple, demanda à l'un de ses sujets (la même jeune femme qui avait démontré une activité cérébrale différente de celle de Monroe) de lire un nombre situé dans une pièce autre que celle où elle se trouvait. Elle réussit. Incapable de lire le numéro, Monroe réussit à voir une assistante de laboratoire et son mari dans la pièce en question.

Hereward Carrington fit mieux encore. Possiblement encouragé par les activités de son sujet, Sylvan Muldoon, il s'efforça de se projeter en la présence d'une certaine jeune femme qui avait la réputation d'être psychique. C'est le genre de chose que la plupart d'entre nous (les hommes) voudraient faire, mais les tentatives de Carrington ne produisirent aucune des projections conscientes de Muldoon et furent donc considérées comme un échec... du moins jusqu'à ce que la jeune femme en question ait rapporté s'être réveillée pour le voir dans sa chambre, debout ou assis sur son lit au moment où il tentait de se projeter. Il resta un moment avant de disparaître.

Bien que ce genre de cas soit intéressant, il soulève plus de questions qu'il n'en résout. Entre autres, comment Carrington a-t-il pu se projeter de la sorte sans s'en rendre compte? La projection inconsciente est peut-être beaucoup plus courante que bien des scientifiques ne le croient; tout comme les occasions où les corps des personnes en projection ont été vus. En janvier 1957, par exemple, une Américaine, Martha Johnson, s'est projetée de Plains, Illinois, en début d'après-midi pour visiter sa mère à près de 1600 km dans le nord du Minnesota. Elle réussit et trouva sa mère en train de travailler dans la cuisine. Madame Johnson s'appuya sur le comptoir et observa. Sa mère finit par se sentir dérangée et se tourna pour la regarder. Madame Johnson, satisfaite, partit.

Le jour suivant, la mère de Martha écrivit une lettre où elle disait :

> À environ 14 h 10 chez toi (*Madame Johnson s'est projetée peu après 14 h* – JHB), je repassais une chemise dans la cuisine. J'ai levé la tête et tu étais là près du comptoir et tu me souriais. J'ai commencé à parler et déjà tu étais partie. J'avais oublié pour un moment où je me trouvais. Je crois que les chiens t'ont vue aussi. Ils étaient très excités.

Les scientifiques font tout pour éviter ce genre de preuves, cataloguées comme des «anecdotes», une étiquette qui permet de les ignorer facilement. Mais si vous vous projetez et pouvez dire ce que je fais, alors que je peux voir votre fantôme dans la pièce, je me risquerais encore une fois à dire que cela est convaincant. La recherche psychique moderne est tourmentée par une sorte de scepticisme paranoïaque dans la communauté scientifique qui essaie d'exiger des preuves de plus en plus fortes, des contrôles de plus en plus sévères, beaucoup plus que ce qui est accepté dans toute autre discipline.

Quelque chose du même ordre a déteint sur les chercheurs en paranormal qui, souvent, créent des théories très tortueuses pour expliquer (ou embrouiller) un phénomène, dont l'explication se retrouve clairement dans le phénomème lui-même. Selon mon interprétation des preuves, il y a peu de doute que la projection du fantôme se produit vraiment, que vous pouvez voyager dans des lieux lointains, que vous pouvez en ramener des informations exactes et que, parfois, vous pouvez y être vu. Mais pour ceux d'entre vous qui en veulent plus, examinons le cas de Stuart Blue Harary.

Stuart Blue Harary est un autre projecteur qui a collaboré avec les scientifiques afin d'essayer de trouver ce qui se produit lors d'une projection. Dans ce cas-ci, les expériences se sont déroulées à l'Université Duke, en Caroline du Nord, peut-être mieux connue parce ce que le Dr J.B. Rhine y conduisit des premières expériences de perception extra-sensorielle.

Les expériences de Harary étaient considérablement plus complexes. Le pouls, la pression sanguine, la réaction galvanique de la peau, la respiration, le mouvement des yeux et l'activité cérébrale étaient tous contrôlés. Une chambre de contrôle à environ un kilomètre était pleine de thermisteurs, de multiplicateurs photographiques et d'appareils divers pour mesurer la conductibilité électrique et la perméabilité magnétique. Lorsque Harary se projeta, son rythme cardiaque et sa respiration augmentèrent et sa pression sanguine tomba. La réaction galvanique de la peau subit une baisse similaire. On enregistra des mouvements rapides des yeux, mais Harary n'était pas endormi puisque le EEG montrait un rythme alpha régulier, associé à un état éveillé relaxé.

Les scientifiques, qui surveillaient les instruments dans la chambre de contrôle, rapportèrent, par la suite, que Harary n'avait influencé aucun des instruments... sauf un. Dans l'un des appareils mécaniques on avait enfermé un chat, appelé *Esprit* pour l'occasion. On avait demandé à Harary de le calmer en le caressant, s'il réussissait à visiter le laboratoire. Esprit miaula 37 fois pendant une période contrôlée, mais pas une fois pendant la période de deux minutes où Harary rapporta avoir caressé le chat alors qu'il était hors de son corps.

C'est un exemple fascinant d'un choix judicieux d'appareil de détection, car les chats ont, depuis longtemps, la réputation de pouvoir voir les fantômes. Moi-même, j'en ai eu plusieurs qui le faisaient souvent.

5

Ce qui aide à sortir du corps

Mais comment faire?

En supposant que vous n'êtes pas du nombre des rares personnes qui ont eu une projection spontanée, ou de celles, moins nombreuses encore, qui en ont eu plus d'une, comment pouvez-vous sortir de votre corps pour marcher comme un fantôme, passer au travers des murs, visiter de jeunes femmes dans leur chambre et vous comporter de façon généralement répréhensible?

En 1977, on fit parvenir deux questionnaires à échelles multiples et aux noms charmants de POBE et PAL à 700 Américains qui avaient rapporté des expériences hors corps. Le premier questionnaire visait à tracer le profil de l'expérience hors corps; le second mesurait la santé psychologique, et peut-être aussi, inconsciemment, la façon dont les scientifiques enquêteurs voyaient les individus qui affirmaient avoir quitté leur corps. Le sondage reçu 339 réponses dont l'analyse produisit un classement intéressant de ce qu'on pourrait appeler les conditions préexistantes; en d'autres mots, quelle situation prévalait juste avant la projection.

Les auteurs du sondage, nos vieux amis les Drs Twemlow, Gabbard et Jones émirent l'avertissement suivant : «Bien sûr, aucune relation de cause à effet n'apparaît nécessairement entre ces situations et l'expérience elle-même, bien que plusieurs auteurs l'aient laissé entendre.» Je crains bien devoir faire une déclaration semblable, car mon expérience me montre que ceux qui s'entraînent à créer certaines conditions préexistantes ont beaucoup plus de chances de se projeter que ceux qui ne le font pas. Mais quelles sont ces conditions?

Certaines, il faut l'admettre, n'ont aucun rapport avec l'entraînement. Cinq p. cent des sujets, par exemple, se sont pro-jetés à la suite d'un arrêt cardiaque. Dix p. cent étaient près de la mort pour une autre cause. Trois p. cent avaient eu une forte fièvre, 4 p. cent venaient d'avoir un accident, et encore 4 p. cent sortirent de leur corps pendant l'accouchement. (Cette dernière donnée est intéressante, car elle touche évidemment uniquement les répon-dantes féminines qui formaient 52 p. cent de l'échantillonage. On ne sait pas clairement si le chiffre de 4 p. cent est donné en relation avec les femmes seulement ou avec tout l'échantillonage. Si c'est en rapport avec le tout, cela indique une incidence de projection étonnamment élevée pendant l'accouchement, soit presque un sur dix parmi les sujets possibles.) On peut aussi ignorer sans crainte les 2 p. cent de projections en conduisant un véhicule. Robert Monroe, lorsqu'on lui demanda ce qu'il fallait faire dans une telle situation, répondit judicieusement : «Revenez aussi vite que vous le pouvez!».

Mis à part tous ces éléments, plusieurs aspects méritent une analyse plus approfondie. En tête de liste, présent dans 79 p. cent des cas, figurait le fait que les sujets étaient *relaxés physiquement.* Toutes les projections que j'ai provoquées par hypnose étaient caractérisées par une relaxation profonde. Elle était aussi présente dans toutes mes expériences de projection spontanée, sans exception. Un projecteur de grande expérience faisait la suggestion intéressante que la projection ne consiste pas à *amener* le corps éthéré à sortir du physique, mais plutôt de le *laisser aller.* Si cela est vrai, la relaxation, qui est en soi une question de «laisser-aller», favorise donc le processus.

Les drogues peuvent parfois aider. Alors que je recevais des traitements à base de médicaments, j'ai expérimenté toute une série de projections déclenchées par des injections d'un médicament puissant pour relaxer les muscles. L'anesthésie générale, qui comporte presque toujours un relaxant musculaire, était une condition préexistante dans 6 p. cent des cas. Même les tranquillisants peuvent aider : je fis certaines de mes premières projections sous l'effet du librium. Mais toutes ces drogues nécessitent une surveillance médicale et risquent davantage de déclencher des projections accidentelles que de faire partie d'un programme d'entraînement structuré. L'alcool, la drogue la plus couramment utilisée socialement, bien qu'il soit un relaxant et un dépresseur, ne semble pas favoriser la projection : il figure comme facteur dans seulement 2 p. cent des cas. Le problème semble provenir de la manière dont l'alcool affecte le système nerveux. En relâchant les inhibitions, il provoque une euphorie. La relaxation suit, mais lorsque la relaxation musculaire profonde est atteinte, les réflexes sont amoindris, la coordination manque, l'élocution est difficile et l'activité mentale est profondément affectée. En d'autres mots, lorsque vous atteignez un niveau de relaxation suffisant pour projeter, vous êtes habituellement trop ivre pour y penser.

Il existe quelques preuves qui indiquent que les drogues hallucinogènes, sauf de très petites quantités de cannabis, peuvent provoquer la projection, mais au détriment du contrôle. Dans une expérience, le sujet déclencha la projection en fumant une bonne quantité de résine de cannabis, pour ensuite passer deux heures à entrer et sortir de son corps de façon incontrôlée, comme une pendule. Heureusement, il existe plusieurs moyens plus sûrs, et plus légaux, d'atteindre une profonde relaxation musculaire. L'hypnose a déjà été mentionnée.

Même si l'hypnose a été utilisée pour déclencher les projections dans mes expériences, ce n'est pas ce que je recommande ici. Pour beaucoup de gens, l'hypnose est un outil exceptionnel pour amener un état de relaxation complète. Une fois cet état atteint, ils peuvent continuer en appliquant les différentes techniques qui les aideront à se projeter. Il faut d'abord trouver un hypnotiseur. Vous en trouverez dans la plupart des grandes villes. Consultez les pages jaunes ou le journal et lorsque vous en trouvez un qui satisfait à vos exigences, prenez rendez-vous. Dites que vous souffrez de tension – ce qui est probablement vrai, même si vous ne vous en rendez pas compte – et que vous voulez apprendre à vous relaxer. Ordinairement, vous devrez payer à chaque séance d'environ une heure chacune. Pour des problèmes plus courants, comme la cigarette ou la tension, certains hypnothérapeutes acceptent de tenir des séances de groupe, ce qui diminue les coûts.

Si vous préférez ne pas rencontrer un hypnotiseur, ou si vous n'en trouvez pas dans votre région, vous pouvez toujours en faire venir un chez vous par «l'intermédiaire» d'une cassette. Il existe plusieurs cassettes de provocation d'hypnose sur le marché, habituellement disponibles pour le prix d'un livre. Vous pouvez en choisir une qui promet simplement la relaxation, mais je crois qu'il est préférable d'en choisir une qui entraîne à s'autohypnotiser, une habileté sans prix une fois que vous en avez pris le tour.

Pour ceux que l'hypnose rend nerveux – et ils sont très nombreux – le «biofeedback» est une possibilité. Le biofeedback est basé sur la notion intéressante que personne n'est stupide : une fois qu'on nous montre à faire quelque chose, on peut habituellement le faire.

Un grand nombre de processus physiques – votre rythme cardiaque, par exemple, ou la quantité d'acide sécrétée par votre estomac après un repas épicé – ne sont pas contrôlés consciemment. Mais il est possible d'y arriver avec de l'entraînement. Certains équipements contrôlent ces processus, en les indiquant par voie sonore ou visuelle. Une fois que vous pouvez *voir* ou *entendre* ce que votre corps fait, vous pouvez habituellement assumer la responsabilité, consciemment, après quelques séances de pratique.

La tension musculaire n'est pas une activité totalement inconsciente – vous pouvez tendre et relaxer vos biceps en tout temps – mais, pour la plupart des gens, tout se fait de façon inconsciente. Combien de fois vous est-il arrivé de froncer les sourcils, de grincer des dents, de courber les épaules ou de tendre les muscles de l'estomac sans vous en rendre compte? L'entraînement du biofeedback vous fait réaliser ces tensions inconscientes ou semi-conscientes afin que vous puissiez les contrôler. On remarque plusieurs indices de tension musculaire. Le plus simple est peut-être celui dont nous avons déjà parlé : la réaction galvanique de la peau. Plus vous êtes relaxé, plus la résistance électrique de votre peau est faible. Bien qu'il existe des équipements très sensibles, complexes et coûteux, il est parfaitement possible de contrôler cette réaction avec un petit appareil pas plus gros qu'un paquet de cigarettes. Un ton audible devient de plus en plus grave au fur et à mesure que vous vous relaxer, ce qui vous permet de vous relaxer encore plus.

Si vous préférez éviter les méthodes sophistiquées, vous pouvez toujours vous entraîner à la relaxation musculaire de la manière difficile – par la pratique pure et la persévérance. C'est là, je suppose, où la partie *travail* du livre commence. À partir de demain matin et tous les matins par la suite, je voudrais que vous preniez quelques instants pour pratiquer la relaxation.

Le temps que vous y mettrez dépend de vous, mais vous constaterez qu'une période de moins de 10 minutes est inutile. Si vous prenez la projection au sérieux, je suggère une demi-heure; et je suggère fortement que vous en fassiez une habitude, car la continuité de l'effort est importante.

Vous avez besoin d'intimité. C'est une raison pour choisir le matin; si vous vous levez assez tôt, personne ne vous dérangera. Essayez de trouver un endroit où vous ne serez pas importuné. Verrouillez la porte s'il le faut; et si vous êtes particulièrement sensible aux bruits, utilisez des boules Quies. Effectuez votre séance de relaxation assis sur une chaise droite. Ne vous couchez pas sur un lit ou sur un divan; vous vous endormiriez probablement. Si vous utilisez l'autohypnose ou le biofeedback, suivez les instructions qui accompagnent votre cassette ou votre appareil. Si vous choisissez la manière difficile, la séquence suivante, tirée de mon livre *la Réincarnation*, peut vous aider :

> Commencez par régulariser votre respiration. La relaxation est une fonction physique. Vos muscles emploient l'oxygène qui est extrait de votre système sanguin. À son tour, votre système sanguin puise l'oxygène dans l'air que vous respirez. En réglant votre respiration, vous augmentez la quantité d'oxygène dans votre sang, vos muscles y puisent la quantité optimale et sont beaucoup plus heureux de se relaxer pour vous qu'ils ne le seraient autrement.

> Si vous avez déjà étudié le yoga, vous savez qu'il existe plusieurs sortes de techniques complexes de régularisation respiratoire. Celle que je veux vous enseigner s'appelle 2/4 :

> 1. Inspirez en comptant mentalement jusqu'à quatre;

> 2. Retenez votre souffle en comptant mentalement jusqu'à deux;

> 3. Expirez en comptant mentalement jusqu'à quatre;

> 4. Ne respirez pas avant d'avoir compté mentalement jusqu'à deux.

Cet exercice a l'air simple, et il l'est, bien que je devrais vous souligner qu'il exige une certaine habileté. (Vous saurez que vous avez cette habileté lorsque vous commencerez à faire l'exercice sans y réfléchir.)

Le rythme à adopter en comptant varie d'une personne à l'autre. Commencez par synchroniser votre respiration et votre rythme cardiaque. Si cela ne vous convient pas, pratiquez l'exercice jusqu'à ce que vous ayez trouvé le rythme qui vous est le plus agréable.

Attendez d'avoir trouvé le rythme qui vous convient avant de passer à la deuxième partie de cet exercice.

Une fois que vous aurez établi un rythme respiratoire 2/4 agréable, consacrez-y environ trois minutes, et commencez ensuite la séquence de relaxation suivante. Si vous pouvez maintenir le rythme 2/4 pendant que vous le faites, bravo, mais il est probable que vous ne pourrez y arriver au début. Dans ce cas, commencez simplement votre séance en faisant l'exercice respiratoire 2/4 pendant trois minutes, et reprenez votre rythme normal pendant que vous exécutez la principale séquence de relaxation. Reprenez ensuite le rythme 2/4 lorsque vous serez bien détendu.

Concentrez-vous sur vos pieds. Agitez-les. Crispez-les afin de tendre vos muscles; laissez-les ensuite se détendre.

Concentrez-vous ensuite sur les muscles de vos mollets. Tendez-les et détendez-les.

Concentrez-vous sur les muscles de vos cuisses. Tendez-les et détendez-les.

Concentrez-vous sur les muscles de vos fesses. Serrez les fesses et l'anus, et détendez-les.

Concentrez-vous sur les muscles de votre ventre, site très commun de la tension. Tendez-les et détendez-les.

Concentrez-vous sur vos mains. Crispez les poings et détendez-les.

Concentrez-vous sur vos bras. Tendez-les rigidement et détendez-les.

Concentrez-vous sur votre dos. Tendez vos muscles et détendez-les.

Concentrez-vous sur votre poitrine. Tendez vos muscles et détendez-les.

Concentrez-vous sur vos épaules, un autre endroit où la tension se manifeste très souvent. Courbez les épaules pour tendre vos muscles, et détendez-les.

Concentrez-vous sur votre cou. Tendez vos muscles et détendez-les.

Concentrez-vous sur votre visage. Serrez les dents, crispez les muscles de votre visage et détendez-les.

Concentrez-vous sur votre cuir chevelu. Tendez les muscles de votre cuir chevelu et détendez-les.

Crispez maintenant tous les muscles de votre corps en vous tenant complètement rigide, et détendez-vous, en vous laissant aller autant que vous le pouvez. Faites cette dernière séquence une autre fois, et une autre encore (faites-la trois fois en tout). La troisième fois, respirez très profondément lorsque vous tendez vos muscles et soupirez profondément à haute voix en laissant la tension s'échapper.

Vous devriez maintenant vous sentir très détendu. Si vous avez abandonné le rythme 2/4 au début de la séquence de relaxation, reprenez-le maintenant.

Fermez les yeux et essayez d'imaginer que votre corps devient de plus en plus lourd, comme s'il se transformait en plomb. Vous vous rendrez compte que cette visualisation augmente grandement le niveau de votre relaxation.

Profitez de cette sensation de détente pendant le reste de la séance. Restez vigilant cependant. Si vous sentez la tension vous envahir de nouveau (et cela vous arrivera sûrement pendant les premiers jours) ne vous inquiétez pas. Vous n'avez qu'à tendre vos muscles un peu plus et à les détendre.

Employez la technique régulièrement jusqu'à ce que vous soyez capable de vous relaxer complètement chaque fois que vous en aurez envie.

La relaxation physique complète n'est pas tout le secret de la projection du corps éthéré, mais en constitue une partie importante. Un esprit calme est également très important rapportent 79 p. cent des répondants.

Il y a plusieurs années, je travaillais comme directeur d'une clinique qui enseignait la relaxation entre autres techniques de réalisation personnelle. Un des principes de la clinique stipulait qu'*un corps totalement relaxé ne peut pas nourrir une émotion destructrice.* En d'autres mots, lorsque votre corps est totalement relaxé, votre esprit, par définition, doit être calme. Aussi juste que cela puisse être, ce principe peut aussi jouer des tours. Lorsque votre esprit est bouleversé et dérangé, vos chances d'atteindre une relaxation totale sont minimes. Car si la relaxation complète et la tranquillité d'esprit vont de pair, elles le sont dès le début. Une ne sort pas soudainement du néant lorsque l'autre est atteinte.

Sachez aussi que pour obtenir les meilleurs résultats de la séquence de relaxation qui précède, vous devez l'aborder avec le moins d'inquiétude possible. La relaxation physique donne certains résultats positifs; ainsi, vous pouvez voir vos inquiétudes disparaître si vous persévérez. Mais vous progresserez beaucoup plus rapidement – et vous relaxerez beaucoup plus profondément – si vous vous attaquez à votre état mental dès le départ. Une des meilleures façons de le faire est la méditation.

Vingt-sept p. cent des répondants faisaient de la méditation lorsqu'ils se sont projetés. Cela n'a rien de surprenant. En Orient, la projection se produit souvent pendant la méditation. Elle est même *attendue*. La relaxation physique est généralement un prérequis à la méditation, dont les techniques ont tendance à calmer et à tranquilliser l'esprit. Sans autre effort, la combinaison de ces deux éléments suffit souvent à stimuler une projection spontanée. Comme l'aurait dit mon projecteur préféré, ils facilitent le processus du *laisser-aller*.

Mais vous découvrirez rapidement que le mot *méditation* est comme l'expression *projection astrale* : il signifie différentes choses pour différentes personnes. En fait, il existe toute une série de techniques de méditation, dont certaines sont meilleures que d'autres dans le cas qui nous préoccupe. Lorsque je fus initialement entraîné à la méditation, par exemple, on m'enseigna comment suivre une suite d'idées spécifiques, comment manipuler l'imagerie et comment éviter les divagations de l'esprit. C'était un style de méditation approprié à l'esprit occidental, qui développait un degré de concentration inhabituellement élevé. L'intensité de la concentration bloque, en effet, les inquiétudes, du moins temporairement, mais cela est loin de la tranquillité produite par d'autres méthodes.

L'une des meilleures méthodes est peut-être l'exercice d'identification avec un objet ou un symbole – une technique que la majorité des ordres occidentaux appellent *contemplation*, mais qui demeure une technique de méditation. La méthode est facile à décrire. Vous débutez avec votre symbole ou votre objet – une rose, par exemple, peut être un bon point de départ – que vous tenez assez près pour l'étudier en détail. Vous essayez de vous familiariser avec la totalité de la rose : sa forme, son odeur, son poids, sa texture, sa couleur. Vous méditez sur la position de la rose dans son contexte, sa relation avec les autres genres de roses, les autres plantes, avec le soleil et le sol, où elle se trouve dans le tout universel.

Toutes sortes d'associations ressortent de cet exercice, beaucoup plus que vous ne pouvez l'imaginer avant de l'essayer.

Mais ces associations ont peu d'importance en elles-mêmes; il s'agit simplement d'un moyen de vous débarrasser des perceptions et des liens terrestres. Une fois que vous jugez être allé suffisamment loin, le coeur de la méditation se présente. À ce moment-là, essayez d'imaginer la sensation qu'on éprouve à *être* une rose. Avec la pratique, vous découvrirez éventuellement que l'examen minutieux, ou la contemplation d'un objet mène rapidement à l'identification à cet objet. La phase intermédiaire de catégorisation en relation avec la forme, la couleur, etc., ne se manifeste plus. Dans la phase finale de l'exercice, l'identification devient une fusion avec l'objet de votre contemplation. Vous *devenez* la rose et, avec un peu de chance, vous sentirez une harmonie inaccessible avec la conscience terrestre.

Si vous réussissez cette expérience, je n'ai aucun doute que vous atteindrez un degré de tranquillité sans égal, non seulement sur le moment, mais longtemps après. Le problème est que la contemplation jusqu'au degré décrit est loin d'être facile. Selon les témoignages laissés par les mystiques religieux à travers les âges, vous aurez peut-être à travailler des années avant d'obtenir des résultats. Puisque vous cherchez seulement à calmer l'esprit (et non à atteindre l'expérience ultime d'harmonie mystique), il doit y avoir un moyen plus facile.

Un lien fondamental entre les différentes formes de méditation est la nécessité d'*apaiser l'esprit*. Cela signifie de ne penser à rien, un processus qui, en pratique, mène automatiquement à une forme plus calme d'état mental général. Mais ne penser à rien est beaucoup plus difficile qu'il ne paraît. Même ne penser qu'à une seule chose n'est pas toujours facile. Essayez ce simple test. Comptez mentalement à partir de un, en *ne pensant à absolument rien d'autre*. Aussitôt qu'une pensée étrangère vous vient à l'esprit (comme «ça va plutôt bien»), arrêtez de compter. Si vous êtes observateur et honnête, il y a peu de chances que vous dépassiez dix... à moins que vous ayez un contrôle mental exceptionnel.

Certaines personnes passent des années à apprendre à apaiser l'esprit, mais il existe un moyen rapide d'y parvenir. Il s'agit de la méditation *mantrique*. Il s'est accumulé beaucoup de non-sens superstitieux autour du sujet des mantras. Un mantra est simplement un mot (ou une phrase) qui, répété, exerce un certain effet sur l'esprit humain. Selon cette définition, bon nombre de slogans publicitaires sont des mantras, tout comme le salut *Heil Hitler* pendant la période nazie.

Les partisans de la méditation transcendantale suggèrent que les mantras les plus puissants sont personnels, mystérieusement harmonisés aux vibrations de la personne qui les utilise. Dans le cas qui nous préoccupe, nous pouvons utiliser quelque chose de beaucoup moins élaboré : un mantra circulaire utilisé quotidiennement par des millions de personnes en Orient. Ce mantra est *Aum mani padme hum* et est associé au bouddhisme. Il signifie «le joyau dans le lotus». Pour ceux que cela intéresse, le joyau réfère au noyau de connaissance dans l'âme humaine. En fait, la signification n'a aucune importance. Ce que nous recherchons est l'effet, qui peut aussi bien être obtenu du mantra islamique *Hua allahu alazi lailaha illa Hua* (Il est Dieu et il n'y a aucun autre Dieu que lui), le mantra égyptien *A ka dua, Tuf ur biu, Bi aa chefu, Dudu ner af an nuteru* (J'adore la puissance de ton souffle, Dieu suprême et terrible, qui fait trembler les Dieux et la Mort devant Toi).

Le dénominateur commun de tous ces mantras est qu'ils forment un cercle fermé. Vous le constaterez si vous les prononcez à voix haute. Aussitôt le dernier mot prononcé, vous pouvez recommencer au début. C'est tout ce qu'il faut faire pour commencer à pratiquer votre méditation mantrique. Assoyez-vous confortablement dans un endroit où vous ne serez pas dérangé, effectuez votre processus de relaxation et commencez à chanter le mantra *Aum mani padme hum*.

Essayez de chanter tout fort d'abord. Continuez le *mmm* final de *hum* au début de *aum*. Le rythme et la prononciation sont :

Aw-um mah-ni padme hummmmm um mah-ni padme hummmm...

Une fois que vous l'avez prononcé à voix haute à quelques reprises, baissez le ton progressivement jusqu'à ce que vous «tiriez» les sons dans votre esprit et continuez à prononcer le mantra circulaire mentalement. Essayez différents rythmes afin de découvrir celui qui retient votre attention et vous aide davantage à expulser les pensées étrangères. L'effet est semblable à celui que vous ressentez lorsque vous avez une chanson dans la tête et ne pouvez vous en débarrasser. Le mantra tourne et s'étend pour remplir votre conscience jusqu'à ce qu'il n'y ait plus de place pour autre chose. Même si vous savez la signification de ce que vous dites, elle est vite perdue, de la même façon que votre esprit oublie la signification d'un mot que vous répétez trop souvent. Une fois que le mantra circulaire est bien établi, il continuera sans effort conscient, vous laissant libre de vous relaxer et de libérer votre esprit.

Lorsque vous désirez revenir à votre mode de conscience normal, ralentissez le rythme du mantra, puis extériorisez-le en le prononçant tout haut à quelques reprises avant d'arrêter.

6

Comment fabriquer un berceau de sorcière

La relaxation physique profonde, un esprit calme et le désir de voyager sont des facteurs présents dans un grand nombre de projections réussies... et suffisent à déclencher la projection dans un petit nombre de cas, peut-être 2 ou 3 p. cent de ceux qui persévèrent. Si vous ne faites pas partie de ces chanceux, quelles autres méthodes s'offrent à vous?

Contrairement à la majorité, presque le quart (23 p. cent) des projecteurs questionnés ont indiqué qu'ils étaient dans une situation de *stress émotionnel* au moment où ils ont quitté leur corps. C'est une découverte fascinante, car elle nous amène directement au coeur du chamanisme, où les rituels d'initiation sont structurés explicitement pour *provoquer* le stress. Étroitement liée au facteur de stress, citons la *fatigue inhabituelle*, rapportée dans 15 p. cent des cas.

Plusieurs communautés primitives (et quelques-unes moins primitives) utilisent l'approche stress/fatigue sous forme de danse rythmée jusqu'à épuisement ou, comme les derviches islamiques, le tournoiement pour produire une désorientation extrême. Les projections ne sont pas rares chez les participants à de telles cérémonies et si vous avez la résistance, vous pouvez essayer d'emprunter à cette méthodologie.

Ce que les anthropologues appellent les «facteurs culturels» sont importants. Dans ce contexte, ce sont les croyances et les attentes des participants à la cérémonie. Le *stress et la fatigue* seuls ne sont (habituellement) pas suffisants sinon toutes les discothèques seraient inondées de projecteurs ahuris. Le catalyseur essentiel semble être l'*attente*. Si vous vous attendez à vous projeter à un certain moment de la cérémonie – et si ce moment coïncide avec celui où le stress et la fatigue sont élevés – vos chance de vous projeter sont alors augmentées considérablement. D'autres méthodes aussi invraisemblables existent, comme Jack London en témoigne éloquemment dans son dernier roman, *The Star Rover*. Le personnage fictif du héros du livre avait été créé à partir d'une personne réelle, un prisonnier américain du nom de Ed Morrell.

Morrell était un prisonnier difficile et la prison d'État d'Arizona maintient une politique barbare envers de tels prisonniers. Après les avoir revêtus de deux vestes étroites, on les plongeait dans l'eau. En séchant, les vestes rétrécissaient et écrasaient le malheureux à l'intérieur : une forme de torture légalisée. Inévitablement, Morrell reçut le traitement des vestes étroites, se trouva incapable de respirer et vit des lumières danser devant ses yeux. Alors, quelque chose d'inattendu se produisit : il se retrouva libre, à l'*extérieur* de la prison. Il faisait, bien sûr, une projection du corps éthéré. Son corps physique demeurait inconfortablement attaché... et apparemment endormi.

Morrell s'attirait fréquemment le mécontentement des autorités de la prison, mais, chaque fois qu'il recevait le châtiment des vestes étroites, son corps éthéré était libéré. Ces projections étaient incontestables. Il fut en mesure de rapporter au pénitencier de l'information du monde extérieur. George W. P. Hunt, gouverneur de l'Arizona, confirma le fait que Morrell avait été témoin d'événements qui s'étaient déroulés alors qu'il était resté dans sa cellule.

Morrell n'était pas un projecteur naturel. À moins d'être soumis au traitement cruel et inhabituel des vestes étroites, il était incapable de sortir de son corps.

Colin Wilson, qui mentionne le cas dans son livre *Mysteries*, croit que c'est la douleur qui a provoqué la projection de Morrell. Il s'agit sans aucun doute d'un facteur : 6 p. cent des projecteurs questionnés ont mentionné une douleur forte comme condition préexistante à leur projection. Mais la douleur n'était peut-être pas le seul facteur, et je soupçonne qu'un nombre de facteurs ont pu être interreliés.

Si vous êtes pris dans l'étreinte de vestes qui rétrécissent, une chose précédera même la douleur, et c'est l'immobilité. Au fur et à mesure que les vestes rétrécissent, l'immobilité augmente. Lorsque la douleur commence, l'immobilité physique est soulignée par une sorte d'immobilité mentale. La douleur, comme la suspension, favorise merveilleusement la concentration de l'esprit. Si vous avez mal aux dents, c'est tout ce à quoi vous pouvez penser. Si vous êtes écrasé par une veste rétrécie, la douleur s'accroît rapidement pour envahir tout votre être. Bientôt, votre système est surchargé. Vous cessez de répondre à des stimuli, ou, plus justement, vous cessez de répondre aux stimuli autres que ceux de la douleur prépondérante. Étrangement, le résultat final n'est pas très loin de la perte sensorielle.

Les expériences touchant l'absence de perception sensorielle sont populaires depuis quelques années : les vols dans l'espace et l'équipement sous-marin en exploitent les résultats. Les volontaires sont submergés dans des réservoirs étanches à la lumière, parfois flottant dans l'eau tiède, et souvent avec des gants et des vêtements rembourrés. L'idée est de couper l'information sensorielle en provenance de l'extérieur jusqu'au point le plus près de zéro. Dans une telle situation, le volontaire moyen passera les huit à dix premières heures à rattraper le sommeil, quelques heures à s'amuser en se racontant des histoires ou en chantant, et le reste de l'expérience à halluciner. Du moins, les scientifiques militaires qui ont dirigé la majorité de ces expériences *supposaient* que leurs sujets hallucinaient. Toute personne ayant expérimenté la projection n'en serait pas si sûre, car dans les rapports d'hallucinations *réelles* (comme celle où un petit homme, nu à l'exception d'un chapeau plat, traversait le champ de vision du sujet en ramant dans une baignoire en métal galvanisé), certaines ressemblent bien plus à une projection sur le plan astral, alors que quelques-unes laissent paraître une projection du corps éthéré.

Les expériences officielles de privation sensorielle relèvent de la haute technologie. Les réservoirs sont reliés à un système qui ressemble aux équipements des vaisseaux spatiaux. Les instruments mesurent la respiration, le rythme cardiaque, la pression sanguine, la mobilité et les mouvements EEG du sujet. Des liens de communication permettent, d'une part, l'observation visuelle et, d'autre part, permettent au sujet de mettre fin à l'expérience si la situation devient incontrôlable. Dans les expériences sous l'eau, une source fiable d'air est évidemment importante. Et ainsi de suite. Mais on peut obtenir des résultats similaires avec des moyens beaucoup moins sophistiqués. Il y a plusieurs siècles, des occultistes professionnels mirent au point un instrument de privation de perception sensorielle pour favoriser la projection du corps éthéré (et sur le plan astral) connu sous le nom de *berceau de sorcière.*

Pour fabriquer un berceau de sorcière, il suffit de trouver ou de fabriquer un sac assez grand pour que vous puissiez vous y tenir debout et assez fort pour vous supporter s'il est soulevé alors que vous êtes à l'intérieur. Puisque vous *serez* à l'intérieur lorsque le berceau sera utilisé, il est important de souligner que le plastique ou les autres matériaux hermétiques sont à éviter à cause du danger de suffocation. Une grosse toile résistante, tissée lâchement, est idéale, similaire au modèle original et peu coûteuse. On devrait être capable de fermer l'ouverture du sac avec une corde et faire en sorte qu'il soit possible de le suspendre avec le sujet à l'intérieur.

Pour utiliser le berceau, vous aurez besoin d'un collègue fiable, d'une poutre élevée ou d'un gros arbre et une nuit où rien ne vous presse. Les puristes pourront ajouter des gants épais, des boules Quies et un bandeau, même si, en fait, ces derniers sont rarement nécessaires. Si vous faites l'expérience à l'extérieur, en hiver (ou même en été dans certaines régions), assurez-vous d'être vêtu chaudement et confortablement.

Choisissez pour votre expérience un site isolé (donc tranquille), où vous pouvez suspendre le berceau à environ 30 cm du sol. On dit que les utilisateurs du berceau choisissaient toujours une branche d'arbre solide dans un endroit retiré, mais il est souvent plus facile, et toujours plus agréable et plus efficace de rester à l'intérieur, du moment que vous ne serez pas dérangé et que l'endroit est silencieux.

Vous devez consacrer toute une nuit – au moins – à votre expérience. Demandez à votre collègue de vous aider à entrer dans le sac et de le suspendre alors que vous serez debout à l'intérieur. Ne bougez pas pendant quelques minutes afin de vous assurer qu'il y a assez d'air dans le sac. Alors, si tout va bien, demandez qu'on vous balance et vous fasse tourner, le sac et tout, d'abord dans une direction, ensuite dans l'autre, jusqu'à ce que vous soyez complètement désorienté. Vous êtes alors abandonné à vos propres moyens, mais n'êtes certainement pas seul. Votre collègue *doit* demeurer à proximité pendant l'expérience afin d'y mettre fin en cas de problème. Il doit rester silencieux, jusqu'à ce que vous lui donniez le signal de la fin de la séance.

À l'intérieur du sac, désorienté, vous commencerez l'expérience en étant incapable de vous situer. Vous pouvez également perdre la notion de haut et de bas. Certains suggèrent de rester debout le plus longtemps possible, même si cela provoque de la fatigue, comme il a été fait mention plus tôt, car les résultats n'en seront nullement affectés. Alors, tenez-vous debout, accroupissez-vous ou couchez-vous dans le sac et attendez la suite.

Le sac n'est pas, bien sûr, étanche à la lumière, et il ne devrait pas l'être, sinon il serait aussi étanche à l'air : une situation qui garantit une expérience hors du corps permanente. C'est pourquoi l'expérience se déroule la nuit ou dans un endroit obscur. La désorientation initiale, l'obscurité, la tranquillité et la difficulté évidente d'obtenir des stimuli tactiles à l'intérieur du sac suspendu, tout contribue à un haut niveau de privation sensorielle. Comme avec toutes les techniques chamanistiques – celle-ci y appartient sans aucun doute – l'état d'esprit et les attentes sont importants. En d'autres mots, gardez à l'esprit la raison pour laquelle vous vous êtes mis dans une telle situation. N'attendez rien (sauf peut-être quelques sensations de panique) pour la première moitié de la nuit. Si vous réussissez à vous projeter, ce sera presque inévitablement vers la fin de l'expérience.

Le berceau de sorcière est une des méthodes les plus solitaires et les plus inconfortables pour provoquer une projection du corps éthéré. Si vous l'essayez – avec ou sans succès – vous voudrez peut-être vous récompenser avec une autre approche qui n'est ni solitaire ni inconfortable : l'orgasme sexuel. Parmi les projecteurs interviewés, l'orgasme était une condition préexistante dans seulement 3 p. cent des cas, mais je doute des statistiques. Même dans une ère de permissivité, les gens sont notoirement réticents à discuter de leur vie sexuelle; l'orgasme a pu être un facteur dans beaucoup plus de cas que les chiffres ne l'indiquent. Sans aucun doute, ma propre expérience suggère clairement qu'un type particulier d'activité sexuelle peut déclencher une projection, même si le résultat final semble être un peu plus courant chez les femmes que les hommes.

Mais on doit ici mettre l'accent sur les mots *type particulier*. Aucune connexion causale n'existe entre le simple orgasme et la projection, sinon les expériences hors du corps seraient trop courantes pour nécessiter un livre comme celui-ci. L'orgasme, bien sûr, comporte le déclenchement simultané d'un grand nombre de synapses neurologiques. Sous cet angle, ce qui s'y apparente le plus est l'éternuement. Il est intéressant de voir que beaucoup de gens disent encore «God bless you» en anglais lorsque quelqu'un éternue, ce qui remonte à une ancienne croyance que l'âme quittait momentanément le corps. (La bénédiction assure qu'aucune entité n'envahira le corps avant que le propriétaire attitré ne revienne.)

L'orgasme masculin est typiquement une affaire génitale. Les femmes, au contraire, prennent souvent plus de temps à atteindre l'orgasme, mais ont tendance à expérimenter une participation du corps entier une fois qu'il se produit. L'expérience de la projection, chez les hommes comme chez les femmes, se produit souvent alors que tout le corps (plus précisément le corps et l'esprit) est concerné. Une des premières étapes pour la réaliser est le célibat temporaire. Le mot clé, vous serez soulagé de l'entendre, est *temporaire*. Le célibat n'est pas, dans ce cas-ci, le chemin vers l'illumination spirituelle, mais il s'agit simplement d'un moyen d'augmenter la frustration et de créer des tensions sexuelles. Nul besoin, par exemple, d'éviter les stimulations sexuelles. Au contraire, plus le niveau d'excitation sexuelle est grand, plus il y a de chances d'une participation de tout le corps au moment où la tension est libérée (orgasme).

Dans l'expérience – s'il est approprié de parler d'expérience dans les circonstances – tous les efforts doivent être dirigés vers la tâche plaisante d'atteindre le degré d'excitation maximal et de le maintenir le plus longtemps possible. Cela est très difficile, mais avec de l'attention, de la patience et surtout un bon contrôle, il est possible de rester pendant de longues périodes – jusqu'à huit heures ou plus – sur le point d'avoir un orgasme.

Les hommes ont particulièrement tendance à «sauter la clôture» trop rapidement dans ce genre de situation, mais le contrôle de la respiration (par exemple une respiration profonde, rythmique) ou une pression ferme à la base du pénis permettent généralement de prolonger l'attente. Le degré de contrôle est habituellement beaucoup plus important chez l'homme que chez la femme puisque, chez lui, le premier orgasme après une longue période de célibat et l'excitation est très intense. Pour les femmes capables d'orgasmes multiples, cependant, le contraire semble être le cas, avec une intensité croissante avec chaque orgasme, mais jusqu'à un certain point. Plusieurs femmes qui aiment les orgasmes multiples trouvent que l'épuisement vient à bout de l'excitation assez rapidement, même chez les plus jeunes et les plus en forme.

Après avoir créé et maintenu une situation de stimulation maximale, vous devriez tenter le vieil idéal de l'orgasme simultané des deux partenaires. Il n'est pas essentiel à la projection, mais il semble augmenter les chances de succès. L'important, c'est le *laisser-aller* total au moment de l'orgasme. À moins que vous n'ayez des problèmes sexuels – auquel cas vous seriez bien avisé de choisir une autre méthode de projection – le temps et l'énergie que vous aurez investis dans la préparation rendront la tâche facile, même si elle est instinctive.

L'expérience subjective de la projection orgasmique est extrêmement plaisante, mais un peu incontrôlable. Chez les hommes et les femmes, le type d'orgasme déclencheur commence dans les parties génitales, mais envahit le corps entier et lui donne cette sensation profonde qui entraîne la conscience et, je présume, le deuxième corps, à l'extérieur.

Comme d'autres méthodes dont il a été fait mention, la projection orgasmique peut résulter en une projection du corps éthéré ou en une projection sur le plan astral. Dans le cas d'une projection du corps éthéré, vous vous retrouverez typiquement hors de votre corps, flottant au-dessus, parfois à une bonne distance. C'est une caractéristique qu'ont en commun la projection orgasmique et la projection spontanée à la suite d'un accident, ainsi que les projections consécutives à une anesthésie générale.

Puisque, par définition, vous êtes rarement seul en utilisant cette méthode, c'est une des rares approches qui vous permettront de vous retrouver hors du corps *avec un ami*. Cela ne m'est jamais arrivé dans une projection du corps éthéré (même si c'est assez courant dans les projections sur le plan astral) mais il semble que le corps éthéré de votre partenaire soit parfaitement visible, et *tangible*, lorsque vous êtes en état de projection. Cela est particulièrement intéressant puisque, comme nous l'avons déjà mentionné, la matière physique est intangible lorsque vous êtes dans un état de projection.

Il est possible, mais pas particulièrement facile, pour le partenaire qui est hors de son corps d'aider l'autre à se projeter. Au contraire de certains mythes ésotériques très populaires, j'ai trouvé quelques preuves qui suggèrent qu'un ami projeté peut tirer le corps éthéré d'un corps physique si les deux sont très unis. Mais la projection est rarement aussi claire que «tout à l'extérieur» ou «tout à l'intérieur». Il est fréquent que des situations surviennent où vous vous projetez seulement partiellement, comme l'expérience de Monroe avec un bras projeté qui traverse le plancher, ou vous commencez à sortir, mais revenez à l'intérieur avant de réussir une projection complète. Dans une telle situation, un partenaire projeté peut parfois aider en tirant doucement. Mais il doit y aller en douceur puisque toute interférence importante avec le corps éthéré déclenche très facilement des réactions de crainte et même de panique, et celles-ci, bien sûr, agissent pour forcer le corps éthéré à revenir à l'intérieur du corps physique. Les projections assistées et bien dirigées sont plus efficaces lorsque les deux personnes concernées entretiennent une relation émotive intime et de confiance.

7

La projection scientifique

Si Robert Monroe ou Sylvan Muldoon ont déjà utilisé la technique du berceau de sorcière ou de l'orgasme pour se projeter, ils n'en ont jamais fait mention dans leurs écrits. Chacun développa ses propres techniques, basées principalement sur son expérience personnelle. Il est peu surprenant de voir certains aspects de leurs techniques non seulement se chevaucher, mais comporter des aspects des méthodes examinées précédemment.

Poussé par le désir d'en savoir plus sur son étrange talent, Monroe fonda le *Monroe Institute of Applied Science*. Le premier laboratoire comprenait une aile de recherche où on retrouvait une chambre de contrôle, trois cabines isolées et une salle de réunion. Chaque cabine contenait un lit d'eau chauffant et l'environnement était contrôlé en termes de circulation d'air, d'acoustique et de température. Les sujets étaient constamment sous surveillance en ce qui a trait aux lectures EEG, au pouls, au tonus musculaire (EMG) et à la réaction galvanique de la peau.

Monroe, qui avait déjà travaillé dans le domaine de la radio et de la télédiffusion à titre d'ingénieur, fut amené à utiliser le son comme outil de projection. En 1975, l'institut recevait un brevet pour un procédé appelé *Frequency Following Response* (FFR), basé sur la découverte intéressante que certains modèles sonores, soufflés à l'oreille des sujets, produisaient une activité cérébrale similaire. Cette découverte permit l'utilisation de sons pour créer et maintenir les états les plus propices à la projection. Un de ces états fut appelé Focus 10 : tous les signes physiologiques du corps étaient les mêmes que pendant le sommeil, mais les moniteurs EEG montraient une activité cérébrale éveillée.

Parfois, l'état Focus 10 déclenché par le son suffit à faciliter la projection. Lors d'une des premières expériences, un psychiatre du Kansas utilisa le signal sonore breveté de Monroe avec quatre sujets sans leur indiquer les résultats qu'ils pouvaient en attendre. L'un d'eux abandonna rapidement l'expérience. Il s'était retrouvé, disait-il, rebondissant sur le plafond de la pièce tout en regardant en bas son corps physique.

Le procédé FFR fut suivi d'une autre découverte encore plus intrigante. Monroe appela ce procédé Hemi-Sync. Hemi-Sync provient de la recherche dans les fonctions de structures spécifiques du cerveau, qui résulte elle-même de procédures chirurgicales visant le contrôle de l'épilepsie. On savait depuis longtemps que le cerveau est divisé en deux hémisphères, reliés par une bande relativement petite de tissus connecteurs appelés *corpus callosum*. L'épilepsie implique des décharges électriques incontrôlées et périodiques dans le cerveau – une sorte de tempête miniature – qui commencent typiquement à un endroit spécifique et se répandent rapidement pour donner les symptômes du *grand mal* ou d'une attaque sévère d'épilepsie.

Au début des années 1960, on traitait les patients atteints d'épilepsie sévère en coupant les tissus connecteurs entre les deux hémisphères du cerveau. La théorie voulait que, si l'on ne pouvait guérir la maladie, il était possible de la confiner à un seul hémisphère, et les symptômes étaient ainsi réduits. La procédure était efficace. On obtenait un degré de soulagement remarquable. De plus, les patients n'apparaissaient pas plus mal en point d'avoir les deux moitiés du cerveau séparées. On crut, pendant un certain temps, que l'être humain avait non pas un mais deux cerveaux, et qu'une moitié servait en quelque sorte à remplacer l'autre.

Mais des recherches subséquentes concernant des patients au cerveau divisé démontrèrent que tel n'était pas le cas. En réalité, chaque hémisphère du cerveau est spécifique. Chez environ 90 p. cent de la population, l'hémisphère gauche contrôle la motricité du côté droit du corps ainsi que le langage, l'écriture, le calcul arithméthique, etc. L'hémisphère droit contrôle le côté gauche du corps et les fonctions créatrices comme le dessin, la perception de l'espace, l'imagination et ainsi de suite.

Le Hemi-Sync de Monroe était, en fait, une ingénieuse application du *Frequency Following Response*. Il utilisait des modèles de sons acheminés par des canaux différents à chacune des deux oreilles pour produire une réaction *synchronisée* dans chaque hémisphère du cerveau. En d'autres mots, les deux côtés du cerveau étaient amenés à produire une activité identique au même moment.

Aidé par tous ces instruments et ces techniques, Monroe put rapporter (dans *Far Journeys*, publié en 1986) que l'institut avait traité plus de 3 000 sujets dans le programme *Gateways*, conçu pour les aider à développer une prise de conscience de différents états... dont l'expérience hors corps. Cela est très bien si vous pouvez aller à l'Institut de Monroe, ou amasser suffisamment d'argent pour l'approche *high-tech*, mais pour la plupart d'entre nous, il faut une technologie applicable à domicile, un programme autonome qui nous permettrait d'obtenir des résultats similaires en retour de tous les efforts investis. Monroe, à son honneur, a développé un tel programme et il l'a décrit en détail dans son premier livre : *Fantastiques expériences de voyage astral.*

Comme Sylvan Muldoon, Monroe croyait qu'il était probable que la plupart – en fait, à peu près tous – quittaient leur corps inconsciemment pendant le sommeil. Malgré tout, ses enquêtes révélaient que le plus grand obstacle à la projection du corps éthéré est ce qu'il appelait la barrière de la peur. Il semble que la plupart des gens sont nerveux à l'idée de quitter leur corps. C'est une peur aveugle et irraisonnée qui, si la projection est imminente, peut engendrer rapidement la terreur ou même la panique. Les projections inconscientes (comme ma marche pendant la nuit alors que j'étais conscient d'avoir quitté mon corps, mais ignorais comment j'avais fait) semblent sauter par-dessus cette barrière (la peur), mais toute tentative pour développer une technique de projection consciente s'y heurte inévitablement.

Il n'existe aucune solution facile à ce problème. Monroe a lui-même analysé la barrière de la peur et l'a divisée en trois parties : la peur de mourir, la peur d'être incapable de réintégrer le corps physique et la peur de l'inconnu. La lecture de livres comme celui-ci doit aider un peu. Ces écrits peuvent rassurer quelque peu, montrer que la projection ne tue pas et que réintégrer le corps physique est aussi facile que de bouger les orteils. Ils vous expliquent en détail à quoi vous attendre pendant et après une projection. Mais lire sur les vols spatiaux n'est pas la même chose que de voler jusqu'à la lune, et bien que la préparation puisse minimiser la peur, vous devez accepter que les premières tentatives de projection soient des expériences apeurantes. Et plus elles seront réussies, plus elles risquent d'être apeurantes.

La seule façon de vaincre la barrière de la peur, c'est la détermination et la seule façon de la diminuer, c'est de se familiariser avec l'expérience. Une fois que vous vous serez projeté quelques fois, vous *saurez* à quoi vous attendre. Déjà vous *savez* que cela ne vous tuera pas, que vous pourrez réintégrer votre corps quand vous le voudrez. La peur s'estompera graduellement. Elle disparaîtra avec le temps. Mais pour les premiers essais, reconnaissez que vous serez effrayé; prenez votre courage à deux mains et *persévérez*.

La première étape de la technique de Monroe a rapport à la relaxation. Si vous n'êtes pas encore tout à fait compétent dans les techniques de relaxation déjà exposées, vous voudrez peut-être en essayer une nouvelle, que Monroe appelle l'*état au bord du sommeil*. Cette technique est simple, mais difficile. Lorsque vous vous coucherez ce soir et que vous commencerez à sombrer dans le sommeil, fixez votre exprit sur une pensée particulière et gardez-la.

Il est presque certain que vous serez incapable de la garder longtemps les premières fois : vous vous endormirez comme d'habitude. Mais si vous pratiquez avec assiduité, vous serez bientôt capable d'allonger graduellement la période où vous oscillez entre l'éveil et le sommeil. Monroe prévient que les premiers essais de cet exercice peuvent rendre nerveux : l'esprit semble s'offusquer de toute interférence de son fonctionnement normal. Si cela se produit, arrêtez la relaxation, levez-vous et marchez un peu, puis revenez et essayez à nouveau. Si la nervosité persiste, abandonnez l'expérience et essayez un autre soir.

Monroe utilise le terme *état A* pour décrire l'habileté à demeurer indéfiniment entre le sommeil et l'éveil, les yeux fermés et l'esprit concentré sur une seule pensée ou image. Lorsque vous y parvenez, vous êtes prêt à passer à l'*état B*.

L'état B est, en fait, très similaire à l'état A, sauf que vous ne vous concentrerez plus sur la pensée de départ. Plutôt, vous restez simplement étendu les yeux fermés, regardant l'obscurité. Il est possible que vous ayez, à ce stade, des hallucinations visuelles parfois très réelles. Celles-ci semblent reliées aux activités que vous avez eues avant de vous coucher. Ainsi, vous pouvez revoir la compétition de tennis que vous avez regardée à la télé ou, comme il m'est souvent arrivé, revoir les pages de votre livre de chevet. Vous serez compétent dans l'état B lorsque toute nervosité ou hallucination aura disparu et que vous serez capable de demeurer dans cet état aussi longtemps que vous le voulez, «regardant» dans l'obscurité.

On atteint le stade suivant, l'*état C*, grâce à une pratique soigneusement réglée. Vous vous laissez tomber, ou plutôt vous laissez votre *corps* tomber dans le sommeil, en contrôlant soigneu-sement les stades. C'est difficile à réaliser, mais, encore une fois, la pratique vous permettra de réussir. Chaque stade successif est marqué par l'obnubilation d'un sens particulier. Le toucher est le premier affecté; vous sentirez que vous n'êtes plus conscient des sensations tactiles. L'odorat et le goût suivent; finalement, l'ouïe et la vue.

Vous aurez peut-être remarqué que l'état que vous avez atteint est similaire, peut-être même identique, à l'état Focus 10 produit par les techniques *high-tech* de Monroe. En d'autres termes, votre corps s'endort alors que votre esprit demeure éveillé. Vous aurez aussi remarqué les liens avec les expériences de privation sensorielle mentionnées plus tôt. L'information sensorielle a été coupée, mais par un processus entraîné plutôt qu'imposé de l'extérieur par une sorte d'appareil comme un berceau de sorcière. Une fois qu'une pratique régulière au coucher vous a permis d'atteindre l'état C, vous devez acquérir l'habileté à passer dans cet état en tout temps, et non seulement lorsque vous êtes fatigué et prêt à vous endormir. Un bon truc : commencez à pratiquer dès votre réveil, car le corps est habituellement très relaxé à ce moment.

On peut, bien sûr, atteindre l'état Focus 10 corps endormi/ esprit éveillé par d'autres moyens. Une fois que vous savez ce que vous cherchez, l'hypnose ou l'autohypnose peut très bien faire l'affaire, tout comme la relaxation progressive profonde et certaines formes de méditation. Mais le Focus 10 n'est qu'une partie du processus de projection consciente. Voici la technique complète qui vous mènera à une expérience hors du corps :

Première étape

Choisissez une pièce où vous ne serez pas dérangé. Ne mettez pas de limite de temps et assurez-vous de n'avoir rien d'autre à faire que l'expérience. Que la pièce soit sombre, sans qu'il y ait obscurité totale. Vous devez conserver une référence visuelle, les yeux ouverts, mais assurez-vous qu'aucune lumière ne passe à travers vos paupières lorsqu'elles sont closes. Couchez-vous dans une position confortable, la tête vers le nord magnétique et le corps étendu le long de l'axe nord/sud. (Certaines personnes ont longtemps soupçonné qu'elles dormaient mieux lorsque leur lit était orienté de cette façon. Quelle qu'en soit la raison, les recherches de Monroe ont indiqué une petite tendance statistique favorisant les projections réussies dans cette position.)

Deuxième étape

Entrez dans l'état Focus 10 – corps endormi/esprit éveillé – en utilisant la méthode qui fonctionne pour vous. Une fois l'état atteint, répétez mentalement une demi-douzaine de fois que vous percevrez consciemment et vous souviendrez de tout ce qui arrivera pendant l'expérience. Commencez à respirer régulièrement par la bouche entrouverte.

Troisième étape

À travers l'obscurité (les yeux fermés), essayez de percevoir un point situé à environ trente centimètres en avant de votre front. Poussez votre concentration à un mètre, puis à deux mètre. Ayez toujours le regard fixé sur ce point à deux mètres en avant du front, jusqu'à ce qu'il vous apparaisse clairement et fermement. Une fois qu'il est bien établi, tournez le point de focus vers l'arrière dans un arc de 90°, de façon que le focus se retrouve sur un point au-dessus de votre tête (donc derrière celle-ci), à une distance d'un mètre sur la même ligne que l'axe de votre corps.

En vous concentrant sur ce point, vous remarquerez des vibrations. La sensation est subtile, très étrange, mais très distincte, comme si quelque chose vibrait sur le point en question et que vous le perceviez. Étirez-vous mentalement et *tirez les vibrations dans votre corps*. Après y être parvenu à quelques reprises au cours d'expériences répétées, vous découvrirez normalement que vous n'avez seulement qu'à atteindre le Focus 10 et à penser aux vibrations pour qu'elles commencent à bourdonner dans votre corps, raccourcissant ainsi un peu le processus.

Quatrième étape

Réservez-vous du temps pour permettre à la réaction de peur de disparaître. Les vibrations sont, bien sûr, les mêmes que celles que Monroe ressentait lorsqu'il commença à se projeter spontanément. Elles étaient si bizarres, si étrangères à son expérience normale qu'il se crut malade et consulta un médecin. Même avec l'information que fournit ce livre, l'esprit peut difficilement demeurer calme lorsque les vibrations commencent. Et pour vous troubler davantage, si vous essayez de combattre à ce stade, vous trouverez votre corps paralysé. Vous pouvez *triompher* de la paralysie si vous essayez très fort, mais cela exige un effort de volonté considérable et, évidemment, met fin à l'expérience pour laquelle vous vous êtes préparé longuement.

Si vous réussissez à éviter la panique, combattez votre peur et concentrez-vous sur les vibrations; elles disparaîtront d'elles-mêmes après environ cinq minutes. Cela peut cependant vous paraître beaucoup plus long la première fois.

Cinquième étape

Lorsque vous contrôlez vos réactions de peur, le temps est venu de contrôler les vibrations. Appelez-les à nouveau si nécessaire; puis, dans votre esprit, formez-les en anneau autour de votre tête. Lorsque vous avez réussi, poussez-les vers le bas le long de votre corps jusqu'à vos pieds. Une fois que vous avez réussi à contrôler les vibrations de cette façon, glissez-les le long de votre corps de manière rythmée, de la tête aux pieds et vice versa. Continuez jusqu'à ce qu'elles disparaissent.

Vous saurez que vous êtes devenu compétent lorsque vous pourrez appeler les vibrations instantanément et les garder en mouvement le long de votre corps, sans arrêt, jusqu'à ce qu'elles disparaissent.

Sixième étape

Les vibrations naturelles dites «brutes» sont celles que Monroe a ressenties lors de ses premières expériences : une sensation parfois semblable aux tremblements qui accompagnent la malaria ou le fait de rouler trop vite dans une vieille voiture avec des roues non équilibrées. La prochaine étape consiste à les raffiner. Vous pouvez y parvenir en les faisant vibrer lorsque vous les faites courir le long de votre corps. L'effet est graduel, mais vous trouverez, avec le temps, que les vibrations deviennent plus régulières. C'est comme si elles avaient augmenté leur fréquence, un processus qui continue jusqu'au point où, comme les sons de haute fréquence, vous n'êtes plus conscient de leur présence. Vous pouvez cependant ressentir un fourmillement plaisant et chaud dans votre corps.

Septième étape

À ce stade de la technique, il est important de contrôler vos pensées et vos désirs. Vous êtes très prêt de la projection et il est parfaitement possible qu'une visualisation errante vous envoie vers une destination où vous ne voulez pas vraiment aller.

Afin de réussir une dissociation douce du corps éthéré, commencez par étendre le bras, comme pour saisir quelque chose. Si tout se déroule bien, vous étendrez votre bras éthéré hors de votre corps physique, ce qui peut être testé en le poussant à travers un objet solide. Lorsque vous avez réussi, ramenez le bras éthéré dans le corps physique, diminuez les vibrations, bougez votre corps et ouvrez les yeux.

Expérimentez ces projections partielles jusqu'à ce que vous soyez tout à fait à l'aise avec elles.

Huitième étape

Une fois que vous atteignez à nouveau l'état de vibrations à haute fréquence, imaginez-vous que vous devenez léger et que vous flottez dans les airs. Après quelques essais, c'est exactement ce que vous ferez... laissant votre corps physique derrière. Certaines personnes trouvent plus facile de rouler hors de leur corps physique, ce que j'ai fait moi-même au cours de certaines de mes projections spontanées.

Peu importe la technique que vous utilisez, exercez-vous à retourner dans votre corps physique. Si vous avez des problèmes, pensez à bouger un membre physique ou à bouger les orteils et vous reviendrez instantanément à l'intérieur. Lorsque vous êtes satisfait de votre habileté à sortir de votre corps et à y entrer à volonté, essayez de vous éloigner un peu plus. Vos projections éthérées complètes sont commencées.[1]

---

1. Probablement. Monroe a plus récemment déclaré que cette méthode n'est pas fiable puisqu'elle ne tient pas compte de facteurs importants découverts par la suite. Ma propre expérience me dit qu'aucune méthode ne garantit le succès à tout le monde, mais que celle-ci réussit à beaucoup de gens et vaut la peine d'être essayée si vous êtes prêt à y mettre les efforts nécessaires.

8

Se préparer à la projection

Sylvan Muldoon vivait à une tout autre époque que Robert A.
Monroe et parlait un langage différent lorsqu'il s'agissait de créer
des techniques de projection. Des expressions comme Focus 10
et programme de Gateway n'étaient pas pour lui. Comme Monroe,
il croyait qu'une variété de facteurs étaient essentiels à la projection, mais il les exprimait en termes de désir, de besoin et
d'habitude.

Le désir peut être intense ou supprimé, mais pas le désir
sexuel, puisqu'il croyait qu'un état d'excitation (non satisfait) avait
tendance à bloquer le corps éthéré dans le corps physique. Il dé-
finissait le besoin comme une priorité physique, et Muldoon
plaçait dans cette catégorie la faim, la soif et le «manque d'énergie
cosmique». J'ajouterais le besoin de vider une vessie pleine. Une
habitude peut être un rituel établi de longue date ou simplement
une façon routinière de faire quelque chose.

Aucun de ces facteurs ne provoque la projection en soi, mais Muldoon croyait que leur présence, alors que le corps était en état d'«incapacité physique», avait fortement tendance à tirer le corps physique à l'extérieur. Sa théorie voulait que l'esprit inconscient, cherchant désespérément à satisfaire un besoin ou un désir – ou simplement poussé par l'habitude – ferait un geste symbolique en ce sens. Comme la maladie le rendit «incapable physiquement» pendant une longue période, il est probable qu'il expérimenta les fruits de sa théorie à plusieurs reprises, sans effort particulier. Cependant, pour les moins fortunés, il développa certaines techniques basées sur ses perceptions.

D'abord, il s'attaqua au problème de *provoquer l'incapacité physique*. Pour ce faire, il conseillait un ralentissement volontaire du pouls, ce qui, soutenait-il, favorisait aussi la concentration et la relaxation. Étendu sur le dos (ou sur le côté droit), les mains de chaque côté du corps, vous respirez profondément jusque dans l'estomac pour que votre abdomen soit gonflé. Expirez complètement en utilisant les muscles de l'estomac pour vider totalement les poumons.

Répétez ce processus huit fois.

Fermez les yeux et visualisez-vous dans votre esprit. En commençant par le dessus de la tête, visualisez votre cuir chevelu, puis tendez et relâchez les muscles qui le contrôlent. Descendez vers les joues, visualisez-les, tendez-les puis relâchez-les. Ensuite, pensez au cou, tendez-le et relaxez-le à quelques reprises. Continuez avec les bras, les avant-bras, les mains. Ensuite, en commençant à la base du cou, descendez tout le long du corps en tendant et en relaxant chaque partie jusqu'à ce que vous atteignez les orteils.

Cela, bien sûr, ressemble aux exercices de relaxation consciente proposés plus tôt, mais Muldoon vise plus que la simple relaxation.

Pensez ensuite à votre coeur (d'une manière détendue, sans inquiétude) et essayez de sentir ses battements. Continuez à essayer jusqu'à ce que vous entendiez et sentiez des battements distinctement.

L'étape suivante consiste à sentir et à entendre le pouls dans une partie du corps que vous choisissez, simplement en vous concentrant sur cette partie. Ce n'est pas tellement difficile, mais, comme la plupart de ces techniques, il faut de la pratique. Prenez votre pouls, d'abord dans la poitrine, puis dans le cou, les joues, sur le dessus de la tête, à nouveau sur les joues, le cou, la poitrine, l'estomac, l'abdomen, les cuisses, les mollets et les pieds. Revenez aux mollets, puis concentrez-vous sur votre cuisse droite afin de vous prouver comment vous pouvez choisir où vous sentez le pouls. Muldoon remarque que si vous vous concentrez sur la région du *medulla oblongata* (l'arrière de la tête), la sensation du pouls est presque identique à celle du pouls ressenti où le cordon astral relie le corps éthéré lorsque vous vous projetez.

Une fois que vous avez réussi à sentir le pouls à votre gré dans votre corps, ramenez votre concentration dans la région du coeur (où, évidemment, vous sentirez le pouls aussi nettement qu'ailleurs dans le corps). Imitez mentalement le battement regulier et calme. Ensuite, lorsque vous avez synchronisé votre rythme mental avec votre pouls, ralentissez légèrement le battement mental et essayez de faire suivre votre coeur.

C'est, je crois, un bon moment pour répéter l'avertissement de Muldoon à savoir que quiconque souffre d'un trouble cardiaque quelconque devrait abandonner tout exercice du genre et, en fait, la projection éthérée. Il croit que toutes les projections impliquent une baisse considérable du rythme cardiaque et peuvent, par conséquent, mettre trop de pression sur un organe déjà affaibli. Vous devez vous faire votre propre opinion. Selon mon expérience, toutes les projections ne s'accompagnent pas d'une diminution du rythme cardiaque; certaines, oui, sans aucun doute.

De plus, il me semble qu'un rythme cardiaque plus lent enlèverait de la pression à cet organe important, et n'en ajouterait pas. En comparaison, il y a peu de risques d'interférence avec le fonctionnement de tout processus automatique du corps susceptible de causer des problèmes pour revenir à la normale. Cela se produit rarement et je n'ai jamais vu de cas où il y eut des dommages permanents, mais cela est certainement terrifiant et inconfortable pendant que cela dure.

Jusqu'à quel point devez-vous ralentir votre rythme cardiaque? C'est une question de jugement, mais je crois inutile de vous dire de ne pas l'arrêter complètement. Ce que vous recherchez, c'est un niveau élevé de relaxation physique, de torpeur ou d'incapacité. Dans le cas de Muldoon, il a atteint un rythme de 42 battements à la minute, mais cela peut varier considérablement selon les individus. Mon beau-fils, qui est un modèle de santé, a un rythme cardiaque au repos de 42 battements par minute, sans signe de torpeur apparent, à moins qu'il ait du travail à faire.

Muldoon associait l'incapacité physique au sommeil avant d'être certain du succès de la projection, un point sur lequel nous reviendrons beaucoup plus en détail. Il croyait aussi nécessaire de développer une *conscience de soi*, une notion intrigante qui conduisit à cet exercice très particulier :

Première étape

Placez une chaise devant un grand miroir. Assoyez-vous, relaxez-vous et étudiez l'image que vous renvoie le miroir, comme si vous vous voyiez de l'extérieur. Essayez d'imaginer que c'est le *vrai* vous dans le miroir.

Deuxième étape

Analysez-vous en détail et essayez de découvrir des aspects de vous-même que vous n'avez jamais remarqués. Imaginez que vous vous rencontrer pour la première fois... et que vous devez fournir une description détaillée de ce personnage étrange qui pourrait être utilisée en cour. Ne vous pressez pas, prenez tout le temps dont vous avez besoin.

Troisième étape

Levez-vous, toujours devant le miroir, et regardez directement dans les yeux de votre réflexion. Soutenez le regard jusqu'à ce que vous commenciez à être instable et à osciller.

Quatrième étape

Assoyez-vous et continuez à regarder les yeux de votre réflexion. Commencez à répéter votre nom encore et encore, à voix haute, sur un ton monocorde. Cette étape crée une certaine confusion que vous devez renforcer en vous imaginant que c'est le vrai vous que vous regardez dans le miroir; en d'autres mots, le vrai vous est *à l'extérieur.*

Cet exercice en est un de préparation, et non de projection, et peu importe le degré de confusion atteint à la quatrième étape, Muldoon ne croit pas qu'il mènera à une expérience hors corps. Il est plutôt d'avis que la séquence implante dans votre inconscient une forte suggestion que vous êtes à une certaine distance de votre corps et qu'ainsi votre inconscient vous aidera à vous projeter plus efficacement lorsque vous utilisez les autres techniques.

La provocation du stress, comme une habitude acquise et la soif, sont des procédures logiques. On peut développer à peu près n'importe quelle habitude ou routine et mettre le corps en état d'incapacité afin que l'habitude cesse. Le seul fait de vous priver de liquide peut provoquer la soif, même si Muldoon y ajoute la pression psychologique d'avoir une boisson visible et accessible. Encore une fois, lorsque le corps physique est en état d'incapacité, le subconscient, désespéré, enverra le corps éthéré chercher de l'eau[1].

Muldoon associait toutes ces techniques au sommeil. Il était convaincu que le corps éthéré sortait légèrement du corps physique pendant le sommeil afin d'absorber l'énergie cosmique que les Hindous appellent *prama* et les Chinois, *ch'i*. Il croyait également que presque tout le monde avait des projections plus complètes pendant le sommeil, mais que celles-ci étaient incontrôlées et inconscientes, même si des formes de rêves déformées demeuraient présentes à l'esprit. Il considérait particulièrement significatifs les rêves de vol, de chute, ou associés à des activités comme se déplacer en ascenseur, voler ou nager. Cette croyance est partagée par Monroe qui fit cette déclaration intéressante :

> Nous reconnaissons généralement que le rêve de vol, avec ou sans avion, est une rationalisation de l'EHC qui est inacceptable pour le système de croyance de l'esprit conscient. Des données subséquentes suggèrent que sortir de sa voiture en rêve et effectuer une certaine tâche tombe dans une catégorie similaire. Avez-vous déjà rêvé que vous aviez oublié où vous aviez stationné votre voiture? De plus, le rêve d'une chute coïncide souvent avec la réintégration du corps physique lorsqu'il est pratiqué au ralenti.

Cet accord entre experts n'a rien de très surprenant. Une analyse soignée des techniques de base de Muldoon comparées à celles de Monroe indique clairement que les deux utilisent la même méthodologie, mais d'un angle différent. Monroe considérait qu'un prérequis à la projection était d'atteindre un état où l'esprit était éveillé et le corps endormi. Muldoon croyait essentiellement que la projection se produisait lorsque l'esprit *et* le corps étaient endormis, le truc consistant à se réveiller lorsqu'elle se produisait.

---

1. Si le corps n'est pas suffisamment en état d'incapacité, ces techniques auront tendance à provoquer le somnambulisme.

Même si elle est moins intéressante que la méthode de Monroe sous certains aspects, cette dernière approche comporte des avantages. En l'utilisant, vous expérimenterez rarement les vibrations mentionnées par Monroe; et, en même temps, vous sauterez souvent par-dessus la barrière de la peur. Muldoon croyait aussi qu'il était possible de s'assurer qu'une projection se produisait pendant le sommeil. La méthode qu'il utilisait était ingénieuse : le contrôle des rêves. Sa description de la technique ressemble aux instructions de Monroe pour atteindre le Focus 10.

Première étape

Durant quelques semaines, observez-vous pendant que vous vous endormez. Concentrez vos pensées et prenez connaissance de votre propre conscience qui devient de plus en plus faible lorsque vous sombrez dans le sommeil. Essayez de demeurer conscient que vous êtes éveillé et que vous observez, même lorsque vous vous endormez.

Deuxième étape

Lorsque vous avez pris le tour de demeurer conscient afin de rester alerte et en contrôle dans la période hypnagogique, vous devez utiliser cette période pour *construire un rêve*.

Deux points sont à retenir lorsque vous construisez votre rêve : a) il doit vous permettre de jouer un rôle actif et b) l'action doit correspondre au mouvement expérimenté dans la projection.

Le premier point est assez clair, mais le second nécessite un peu d'explications. Dans une projection, le corps éthéré se déplace normalement vers le haut et vers l'extérieur du physique. Des actions dans un rêve qui pourraient correspondre à une projection sont : décoller en avion, s'élever dans un ballon, voler en deltaplane, monter sur une échelle ou simplement se déplacer en téléphérique. Cette liste ne se veut pas restrictive. Vous pouvez utiliser une de ces idées, ou penser à votre propre rêve, du moment que vous choisissez quelque chose que vous *aimez faire.* Comme j'ai peur de l'avion, le décollage me serait inutile. Mais comme je ne souffre pas de claustrophobie, j'aime bien me déplacer en ascenseur.

Troisième étape

Commencez à réaliser votre rêve *avant* de vous endormir. Puisqu'à ce stade vous serez entraîné à demeurer conscient dans la période hypnagogique (tomber endormi), vous pouvez imaginer le début de votre rêve. Vous pouvez, par exemple, vous imaginer couché sur le plancher d'un ascenseur et vous dire que, lorsque vous allez être endormi, l'ascenseur va monter, vous transporter doucement et agréablement à un étage supérieur. Dirigez votre rêve de façon à être transporté en haut, à sortir de l'ascenseur, à explorer les environs et à retourner dans l'ascenseur pour descendre où vous étiez.

Quatrième étape

Utilisez le même rêve tous les soirs. Cela est très important : c'est le signal donné à votre inconscient, la partie de vous qui, en fait, déclenche la projection. Utiliser des rêves différents à chaque soir ne fait qu'embrouiller les choses et ne permet pas un message clair.

Dans l'exemple cité, vous pouvez vous attendre à vous projeter lorsque vous sortez de l'ascenseur à l'étage supérieur et à réintégrer votre corps lorsque vous y revenez après vous être promené un peu. Vous pouvez aussi vous attendre à vous *souvenir* du rêve.

Même si Muldoon insiste sur le fait qu'un rêve construit adéquatement projettera *toujours* le fantôme, vous devrez vous fier à sa parole jusqu'à ce que vous appreniez à vous éveiller dans l'état de projection. Parfois, bien sûr, cela arrive spontanément, mais si vous préférez ne pas vous fier à la chance, Muldoon donne deux méthodes pour se réveiller. Assez étrangement, l'une d'elles est un réveil (ou une autre source similaire).

Les sons vous réveilleront aussi bien lorsque vous êtes en état de projection que lorsque vous dormez dans votre corps physique. Mais il y a des problèmes. Un son apeurant ou surprenant aura tendance à vous faire réintégrer soudainement votre corps physique; choisissez donc un son doux et persistant de préférence à une alarme métallique. Par ailleurs, *tout* son, aussi doux soit-il, vous fera réintégrer votre corps si votre fantôme se trouve près du corps lorsqu'il se produit.

Ces problèmes font du réveil une approche peu fiable. Heureusement, l'autre option semble ne présenter aucun désavantage. Il s'agit d'inclure une suggestion de réveil dans la construction de votre rêve.

Cette méthode exige du travail. D'abord, vous devez examiner le rêve que vous avez construit et déterminer à quel moment il déclenchera la projection. Ensuite, vous devez décider à quel moment de votre rêve le corps éthéré (inconscient) sera suffisamment éloigné du corps physique pour vous éveiller sans choc. Finalement, vous devrez examiner votre chambre et essayer de décider où votre corps éthéré devrait se réveiller, en d'autres mots, l'endroit de votre chambre qui correspond au point de réveil dans votre rêve.

Il importe d'être clair au sujet de cette dernière étape. Lorsque vous réalisez votre rêve spécial (monter en ascenseur par exemple), votre corps éthéré se sépare de votre corps physique. Vous n'en serez pas conscient; c'est seulement du rêve. Mais chaque élément du rêve coïncide avec une action de votre corps éthéré somnambule. Le rêve devient une expression symbolique de ce que vous faites dans l'état de projection. Ce que vous décidez maintenant est, en fait, ce que seront ces actions.

C'est probablement un peu plus facile que cela en a l'air puisque – pour continuer avec l'exemple de l'ascenseur – vous pouvez décider que le moment de la séparation surviendra lorsque vous quitterez l'ascenseur à l'étage supérieur, et si vous entrez dans une pièce qui est similaire, en dimensions et décoration, à la vôtre, on peut assumer sans danger que le lieu de votre rêve correspondra plus ou moins au lieu physique où se trouve votre fantôme.

Une fois que vous avez choisi le lieu de votre point de réveil – ou une approximation aussi juste que possible – vous devriez faire le chemin de votre projection dans votre corps physique. Lorsque vous atteignez le point où vous avez décidé de vous réveiller, dites-vous avec confiance que c'est exactement ce que vous ferez. Renforcez la suggestion en vous visualisant en train de vous souvenir de vous réveiller à ce point précis du rêve.

Le contrôle des rêves est un peu plus agréable, et un peu moins apeurant, que l'approche Focus 10 de Monroe, mais pas moins difficile. Un équipement comme le berceau de sorcière ne plaît pas à tous. De plus, comme il a déjà été mentionné, plusieurs des techniques examinées sont essentiellement basées sur la même approche fondamentale : vous gardez, d'une façon ou d'une autre, votre esprit alerte et actif alors que vous amenez votre corps dans un état de passivité, d'incapacité ou de sommeil.

Une question vient naturellement à l'esprit : y a-t-il une autre façon? Pas seulement une variante de ce que Monroe appelle le Focus 10, mais quelque chose qui repose sur un principe totalement différent? La réponse est oui, et la méthode est loin d'être nouvelle.

9

Le corps de lumière

Dès le jour où vous vous affiliez au Golden Dawn, l'ordre victorien magique qui a influencé si profondément la pensée occulte moderne, vous êtes assujetti au serment du secret avec ces paroles dérangeantes :

> Si je brise ce serment, mon obligation magique, je me soumets, de mon gré, au torrent du pouvoir mis en marche par les gardiens divins de cet ordre, qui vivent dans la lumière de leur justice parfaite, et devant lesquels mon âme se trouve maintenant. Ils voyagent comme le vent. Ils frappent où aucun homme ne frappe. Ils tuent où aucun homme ne tue. En inclinant le cou sous l'épée de Hiereus, je me mets entre leurs mains pour la vengeance ou la récompense.

Un des secrets protégés par ce serment était ce qu'on appelle la technique du corps de lumière. C'est une méthode pour déclencher une expérience hors corps. Comme toutes les autres, la technique du corps de lumière exige de la pratique, mais vous n'avez pas à demeurer dans un état hypnagogique ou à contrôler vos rêves. Tout ce que vous devez faire, c'est d'utiliser votre imagination.

Installez-vous sur une chaise dans une pièce où vous ne serez pas dérangé, puis relaxez-vous en utilisant une méthode qui vous donne de bons résultats. Une relaxation profonde, près de la transe, n'est pas du tout nécessaire. Laissez simplement vos inquiétudes s'en aller, débarrassez-vous des tensions musculaires et concentrez-vous sur ce que vous avez à faire. Maintenant, imaginez que vous n'êtes plus assis, mais que vous êtes debout dans la pièce, à une distance de deux mètres. Essayez de vous visualiser debout le plus clairement possible. Faites des efforts pour vous voir en *détail*. Ne vous contentez pas d'une image vague et imaginaire. Essayez de voir ce que vous portez. Imaginez les saletés sur vos chaussures. Comptez les boutons de votre veston. Remarquez la façon dont vos cheveux tombent sur le front. Visualisez en couleur et en profondeur. (L'exercice du miroir de Muldoon est un excellent préliminaire pour cette technique puisqu'il vous familiarise avec votre propre apparence.)

Il est tout à fait acceptable de vous visualiser tel que vous l'êtes en réalité — par exemple en jeans et avec un chandail, peu importe — mais certains esprits romantiques trouvent plus facile, ou peut-être plus plaisant, de se visualiser vêtu mystérieusement et avec un capuchon. C'est aussi possible, mais portez attention aux détails. Les personnages vêtus mystérieusement et avec un capuchon n'ont pas tous la même apparence.

Prenez tout le temps qu'il faut pour construire ce personnage imaginaire en entier. C'est une bonne idée que de réserver à l'exercice un moment de la journée et d'y consacrer de 10 à 15 minutes par jour pendant une semaine ou plus. Évitez de franchir à la hâte la première étape : c'est la partie la plus importante de l'exercice, la création du «corps de lumière» d'où il tire son nom.

En pratiquant, vous constaterez que la visualisation devient de plus en plus facile jusqu'à ce qu'un simple effort suffise à produire l'entité. Une fois que vous avez atteint ce stade, passez à la deuxième étape de l'exercice.

La deuxième étape consiste à vous imaginer que vous vous levez et que vous marchez dans la pièce. Fermez les yeux et essayez. Rappelez-vous l'apparence de la pièce telle qu'elle vous apparaissait lorsque vous étiez assis sur la chaise, fermez les yeux et essayez de visualiser la même scène. Si vous avez de la difficulté à vous rappeler des détails, ouvrez les yeux pour vous rafraîchir la mémoire. Continuez à essayer jusqu'à ce que vous puissiez décrire la pièce en détail lorsque vous avez les yeux fermés.

Ensuite, imaginez que vous vous levez et que vous faites le tour de la pièce en marchant dans le sens des aiguilles d'une montre. Essayez de voir comment la perspective de la pièce change au fur et à mesure que vous vous déplacez. Tachez de vous rappeler des petits objets et des décorations qui n'étaient pas nécessairement visibles de votre chaise, mais que vous savez être dans la pièce.

Si vous avez des problèmes avec cette partie de l'exercice, levez-vous *physiquement* et faites le tour de la pièce. Ensuite, rassoyez-vous, fermez les yeux à nouveau et essayez de refaire votre chemin dans votre esprit. Continuez jusqu'à ce que votre visualisation soit facile et réelle. Maintenant, essayez de faire la même chose dans le sens contraire.

Après un certain temps — qui varie en durée d'un individu à l'autre — vous découvrirez que la visualisation n'exige que peu d'efforts. Lorsque c'est le cas, essayez de vous visualiser dans une *autre* pièce en train de marcher, encore une fois, dans le sens des aiguilles d'une montre, puis dans l'autre sens. Choisissez une pièce que vous connaissez bien, mais essayez de la visualiser avant d'y aller si cela est possible.

Les images de la deuxième pièce devraient venir plus facilement et plus rapidement que la première puisque, bien sûr, vous pratiquez votre habileté à visualiser. Lorsque vous avez exploré à fond la deuxième pièce, étendez mentalement votre horizon en vous promenant dans toute la maison.

Plusieurs personnes ont de la facilité à visualiser et n'ont aucun problème avec ce genre d'exercices. Si vous n'êtes pas si chanceux, continuez à essayer : il n'y a pas de limite de temps et la pratique portera fruit éventuellement. N'y consacrez pas plus de 20 minutes par jour : cela est suffisant, du moment que vous pratiquez régulièrement.

L'étape finale à ce stade consiste à vous imaginer en train d'explorer des lieux plus éloignés et moins familiers. Les lieux intérieurs sont plus faciles pour la plupart des gens, mais si vous vous sentez confiant, vous pouvez essayer de vous imaginer dans un lieu extérieur. Encore une fois, vous devez explorer *méthodiquement*. Éviter de visualiser des *personnes* tout au long de cet exercice, cela entraînerait des complications qui ralentiraient vos progrès.

Lorsque vous êtes satisfait de votre habileté à visualiser n'importe quel endroit que vous choisissez dans votre esprit — et à le visualiser en détail — vous êtes prêt à passer à l'étape finale de l'exercice. C'est le moment crucial. Vous êtes maintenant entraîné à faire deux choses. La première, qui est de visualiser une sorte de reflet de vous-même debout à une certaine distance de la chaise où vous êtes assis. La deuxième, qui est de vous imaginer en train de marcher dans différents endroits et de les examiner en détail. Le pas de géant consiste à combiner ces deux aspects de l'exercice.

D'abord, visualisez le reflet du miroir. Il en a déjà été question. Lorsque la figure est claire et stable, imaginez que vous regardez par les yeux du reflet. Il y a un truc pour réussir cela, comme pour rouler à bicyclette. Les premières fois que vous essayerez, vous ne réussirez probablement pas. Ensuite, pour aucune raison apparente, vous découvrirez que vous êtes capable.

Imaginez la pièce du point de vue du personnage que vous avez créé. Regardez autour et notez les détails, incluant votre corps (physique) assis sur la chaise. Une fois que vous sentez que votre perception est fermement ancrée dans le corps imaginaire, faites-le marcher autour de la pièce dans le sens des aiguilles d'une montre, exactement comme vous l'avez fait en esprit dans la deuxième partie de l'exercice.

Puisque vous avez pratiqué à plusieurs reprises, vous devriez pouvoir garder cette nouvelle perspective assez facilement. Mais si vous sentez votre conscience osciller vers l'endroit où vous êtes assis, ne vous inquiétez pas. Reprenez simplement au début.

Lorsque vous continuez cet exercice pendant un certain temps, lorsque vous projetez le focus de votre conscience dans votre corps imaginaire et que vous vous déplacez d'une pièce à une autre, il peut se produire deux choses. Soit que vous trouviez que la réalité de l'expérience devient de plus en plus évidente jusqu'à ce que vous puissiez «voir» de façon précise à partir du nouveau corps, soit que vous atteigniez un stade où un bond soudain se produit, après quoi l'expérience du nouveau corps vous semblera beaucoup plus réelle.

À ce moment, essayez d'explorer un lieu totalement étranger avec ce corps imaginaire, puis visitez le même endroit lorsque vous réintégrez votre corps physique. (Ce que, à propos, vous pouvez faire en *renversant* le processus initial : du point de vue de votre nouveau corps, visualisez simplement la pièce à partir du corps physique assis sur la chaise.) Ne soyez pas trop bouleversé si vous découvrez que la scène que vous avez vue lorsque vous étiez dans votre corps imaginaire est confirmée dans tous ses détails par votre visite physique des lieux.

Vous pouvez vous demander, avec raison, ce qui se passe. Si vous avez suivi la technique au complet avec succès, il semble évident que vous avez réussi à projeter votre conscience dans un second corps, que vous avez, en fait, créé un fantôme. Mais même si ce corps peut vous amener où vous voulez — en passant à travers des murs en cours de route — il est aussi évident qu'il y a des différences considérables entre cette expérience et le genre de projections décrites par des gens comme Monroe et Muldoon.

Où est, par exemple, la *séparation* des deux corps? Dans cet exercice, vous n'avez rien séparé, en fait. Vous *imaginez* simplement un deuxième corps debout dans un coin. Et où était l'état de conscience particulier apparemment nécessaire à la projection du corps éthéré, la limite hypnagogique entre le sommeil et l'éveil? Où était l'incapacité physique? Vous étiez dans un état tout à fait normal pendant l'expérience et si vous voulez bouger votre corps physique, vous pouvez le faire sans aucun problème.

Peu importent les ressemblances, vous pourriez être tenté de conclure que vous n'étiez pas dans l'état de projection du corps éthéré. Et vous auriez raison. La technique du corps de lumière vous rapproche plus près de quelque chose d'encore plus excitant que de sortir dans votre corps éthéré. Elle vous amène vers la projection sur le plan astral.

Deuxième partie

LA PROJECTION ASTRALE

1

Description de l'autre monde

Elle avait l'impression de se diriger vers les marches d'un temple en pierres blanches. Une rangée de colonnes s'étendait de chaque côté d'elle, donnant à l'édifice une apparence classique, même s'il était différent de l'architecture grecque et romaine.

Elle monta les marches – sept en tout – et s'arrêta sur une terrasse. Je lui suggérai d'aller directement à la bibliothèque... Elle le fit, la trouvant dans une pièce sur la gauche. À ma surprise, trois personnes l'attendaient : deux hommes et une femme. La femme était dans la quarantaine, avec des traits calmes et des cheveux légèrement colorés, le genre blond argenté. Joséphine portait surtout attention à la femme, mais elle remarqua que les trois personnes portaient des tuniques blanches.

Assis à une table, ils remarquèrent presque immédiatement l'arrivée de Joséphine. Même s'il n'y avait aucune communication, celle-ci sentit qu'elle était la bienvenue. Lorsqu'elle me parla de ces personnages, je pensai... qu'il s'agissait des bibliothécaires, ou du moins qu'ils pouvaient l'aider à utiliser l'information contenue dans la bibliothèque. Je suggérai... qu'elle avait le choix de lire dans les livres ou de lire le contenu sur un écran. Elle choisit la seconde façon de procéder et les personnes lui indiquèrent l'emplacement de l'écran, élevé sur un mur. Joséphine comprit, pour une raison ou pour une autre, qu'elle pouvait «penser» le contenu des livres sur l'écran...

Cette citation provient de mes dossiers non publiés. La question est : où était Joséphine? Certainement pas dans ce monde. Un peu plus tôt, alors qu'elle marchait le long d'un sentier désert, elle décidait de créer une rose; à partir de sa pensée, elle la créa complète avec les épines et la rosée. La plante poussait toujours dans le sable lorsqu'elle repassa à nouveau à cet endroit.

Joséphine n'était pas, bien sûr, la seule à se retrouver... ailleurs. Emmanuel Swedenborg, un mystique du XVIIIe siècle, raconta cet événement qu'il croyait être la descente en enfer :

J'ai entendu des cris forts qui semblaient venir de l'eau, des régions souterraines; de la gauche vint le cri «Oh, très juste!», de la droite, «Oh, très savant!», et de l'arrière, «Oh, très brillant!»

Et comme je me demandais s'il pouvait y avoir des personnes justes, savantes ou brillantes en enfer, je ressentais fortement le désir de découvrir la vérité. Une voix du ciel me dit alors : «Vous verrez et vous entendrez»

Je partis de bon coeur et je vis une ouverture; je m'approchai pour examiner et, tiens! il y avait une échelle que j'entrepris de descendre.

Arrivé en bas, je vis une plaine couverte d'arbustes, entremêlés d'épines et d'ortie. Je demandai si c'était l'enfer et on me dit qu'il s'agissait de la terre inférieure, laquelle est juste au-dessus de l'enfer.

Plus récemment, l'anthropologue Carlos Castaneda décrivait les détails d'une longue série de voyages qu'il appelait «la fente entre les mondes», dont cette description intéressante :

La scène est devenue soudainement très claire, ce n'était plus comme un rêve. C'était une scène ordinaire, mais j'avais l'impression de la regarder au travers d'une fenêtre. J'assayai de toucher une colonne, mais tout ce que je ressentis était que je ne pouvais pas bouger; je savais cependant que je pouvais rester aussi lontemps que je voulais à regarder la scène. J'étais dedans, mais je n'en faisais pas partie.

J'expérimentai un barrage de pensées et d'arguments rationnels. J'étais, du moins comme je pouvais en juger, dans un état ordinaire de conscience sobre. Tous les éléments faisaient partie de mon processus normal. Cependant, je savais que je n'étais pas dans un état ordinaire.

La scène changea brusquement. C'était la nuit. J'étais dans le corridor d'un édifice... Je vis un jeune homme sortir d'une pièce en transportant un gros sac à dos sur ses épaules... Il passa près de moi et descendit les escaliers. J'avais alors oublié mes appréhensions, mes dilemmes rationnels. «Qui était cet homme?» pensai-je. «Pourquoi l'ai-je vu?»

Je pourrais, sans trop de difficulté, remplir le reste de ce livre – et plusieurs autres – avec des témoignages de ce genre. William Blake, le poète, a visité les domaines du paradis. Carl Jung, le psychologue, s'est vu transporté dans les régions fantasmagoriques de l'espace. Tous les magiciens compétents ont voyagé dans le «monde des esprits» et en ont rapporté des pouvoirs. Dans la campagne irlandaise, il est encore possible de recueillir des témoignages de seconde main (et parfois de première) sur des visites en enfer.

Plus près de nous, chacun visite des dimensions étranges chaque nuit, souvenirs éphémères de nos rêves. Pis encore, plusieurs sont capables de créer des images *dans leur tête*. Chez certaines personnes – romanciers, graphistes, inventeurs – ces images peuvent être très réelles et précises.

En prenant ces faits en considération, il semble clair que ces témoignages de visites dans des dimensions étrangères et inconnues sont en réalité des *visions subjectives*. Il s'agit de construction de l'esprit humain, de rêves éveillés conditionnés par les préoccupations et le milieu culturel de l'individu. Dans ce contexte, il est significatif que Swedenborg, ingénieur, géologue, et fils d'évêque, subît une conversion religieuse à l'âge de 56 ans. Blake prétendait que ses visions émergeaient de son imagination. Elles étaient, disait-il en se frappant le front, «là-dedans».

Et cependant... l'anthropologue Michael Harner du *School for Social Research* de New York avait ingéré une boisson sacrée faite de «vin d'âme», *ayahuasca*, alors qu'il travaillait avec les Conibos d'Amazone péruvienne.

«L'ayahuasca est bien connu, écrit Lyall Watson. C'est un vin ligneux qui contient un nombre d'alcaloïdes aux propriétés hallucinogènes, dont une est appelée «télépatine» parce qu'elle semble tourner en verre ceux qui vous entourent, de façon que vous puissiez voir à travers leur corps et lire leurs pensées. Je l'ai essayé au Brésil et vous pouvez être assuré de son effet.»

L'expérience de Harner fut quelque peu différente. Il avait des visions de bateaux-âmes, des crocodiles démons et d'humains à tête d'oiseau. Bien que l'expérience fût claire et dérangeante, Harner n'avait aucun doute qu'elle était subjective. Il savait d'où provenaient les images. Même une analyse superficielle indiquait des ressemblances avec le *Book of Revelation*. Il conclut que l'effet de la drogue avait libéré des couches de son inconscient et relâché une série d'associations reliées à son passé et à sa culture.

C'était une hypothèse raisonnable, mais fausse. Car Harner rencontra par la suite un vieux sorcier amazonien aveugle qui lui dit exactement ce qu'il avait vu, d'après l'expérience personnelle du sorcier. Ils avaient visité le même endroit. «J'étais stupéfait», dit Harner.

C'est un cas alarmant, d'autant plus qu'il s'agit d'un parmi d'autres... et qui ne mettent pas tous en cause un sorcier pieds nus. Au cours d'expériences ésotériques, j'ai fait la curieuse expérience de «regarder» dans les visions des gens et de déterminer précisément l'environnement «rêvé» où ils se trouvaient et ce qu'ils faisaient. J'ai aussi rencontré des individus qui pouvaient faire l'inverse, me dire les détails de ce que je croyais être un fantasme personnel et subjectif.

Même si on est loin d'attirer l'attention des psychologues, des scientifiques ou même des occultistes, la croissance explosive des jeux de rôle depuis le milieu des années 1970 a augmenté considérablement les cas de «vision partagée». Typiquement, environ une demi-douzaine de participants au jeu de rôle reçoivent une description d'un environnement fantastique du maître de jeu. Ils s'imaginent entrant ensemble dans cet environnement et expérimentant diverses aventures ensemble.

L'attrait du jeu de rôle est la liberté qu'il offre aux participants. À l'intérieur des règles du jeu (qui sont en fait les Lois du monde imaginaire) vous êtes libre de faire tout ce que vous voulez. Vous pouvez demeurer avec les autres ou partir seul, combattre un ennemi ou vous enfuir, développer certains talents ou paresser. Le processus du jeu est hautement interactif. Les joueurs disent ce qu'ils ont décidé de faire et le maître de jeu leur révèle le résultat immédiat de leurs actions. Le résultat est une image mentale très nette du monde imaginaire qui se construit. Et ici se produit un phénomène étrange, tellement courant qu'il s'agit d'un fait banal. Un joueur décide d'entreprendre une série d'actions et s'imagine en train de les réaliser. Et à ce moment, *avant* même qu'il explique ses intentions au maître de jeu, un ou plusieurs de ses collègues, enfermés dans la même vision subjective, «voient» ce qu'il compte faire.

Dans mon livre *Astral Doorways*, je décris comment un ami et un collègue, l'artiste Nick Van Vliet, a déclenché une vision en pressant son front contre un mégalithe irlandais. Comme il décrivait ce qu'il voyait, son épouse Bea, qui se tenait à quelques mètres derrière lui, les yeux fermés, chuchotait une description précise de son environnement intérieur quelques instants avant ses propres mots. Encore une fois, nous devons nous arrêter et nous demander : qu'est-ce qui arrive?

Carl Jung a répondu a cette question : il a découvert que la psychanalyse déclenchait souvent l'émergence de rêves ou de visions symboliques identiques chez différents patients. Avec une technique appelée «imagination active», il demanda aux patients d'explorer leur propre inconscient au moyen de voyage imaginaire et il découvrit que les paysages intérieurs créés avaient souvent une ressemblance frappante. Des études plus poussées ont démontré que les personnages et les scènes de la mythologie étaient toujours présents dans l'imagination humaine, même chez les patients qui n'avaient jamais été exposés aux mythes.

Jung trouva une explication à ce phénomène étrange dans sa théorie de l'*inconscient collectif*. Il décida que, de la même façon que l'humanité partage un modèle général unique de corps – tête, torse, deux bras, deux jambes, etc. – elle partageait aussi un modèle unique d'esprit, possiblement basé sur la structure générale du cerveau physique. Ce modèle se manifeste subjectivement dans une expérience d'*archétypes,* des tendances à imaginer les mêmes images, reliées aux mêmes émotions au niveau de base du psyché.

On a souvent mal interprété la théorie de Jung. Il est facile d'y voir une sorte d'esprit de groupe préexistant, peut-être généré par la race humaine, d'où l'esprit de l'individu émerge comme une île dans la mer. Mais l'utilisation du terme collectif par Jung n'avait pas une telle implication, d'où la faiblesse de son idée.

Jung a raison de dire que tous les cerveaux humains partagent la même structure de base. Ils sont divisés en deux et ressemblent à une noix. Ils sont sectionnés d'une façon prévisible et peuvent être divisés en lobes similaires. Mais les similarités entre les cerveaux de deux humains ne pèsent pas lourd comparées aux différences. Il y a des variations physiques de taille et de poids, des variations dans la forme générale (déterminée par la forme du crâne), des variations dans le développement des différentes régions. Peut-être plus important, le cerveau actif n'est pas un morceau de viande, mais une machine électrochimique complexe qui change son profil électrochimique des millions de fois par minute. De ce point de vue, il n'y a pas deux cerveaux humains qui se ressemblent vaguement à n'importe quel moment.

Il me semble que la base physique de l'inconscient collectif de Jung doit être mise en doute. Même si j'ai raison, cela n'a pas d'importance. Lorsque vous comparez certains rapports visionnaires, il ne s'agit pas de parallèles qui peuvent être basés sur les ressemblances structurelles qui existent sans aucun doute entre les cerveaux; il s'agit plutôt d'une identification précise, fréquente et parfois continue entre deux visions. Il s'agit (si vous êtes prêt à accepter les découvertes d'occultisme et de jeu de rôle) d'*interaction visionnaire*. Cela écarte tout à fait le genre d'inconscient collectif proposé par Jung, du moins comme explication du phénomène.

Il existe une autre explication possible, peut-être pas pour toutes les anomalies d'expériences visionnaires, mais du moins pour quelques-unes. Dans l'étude mentionnée plus tôt, le sujet Joséphine, déclenchée par hypnose, était temporairement incapable de différencier sa vision de la réalité éveillée. Elle se trouva dans un environnement qui avait l'air sain et normal, mais refusa d'obéir aux règles. Elle pouvait créer de la matière seulement en y pensant. La gravité était présente, mais la laissait voler obligeamment. Il n'y avait aucun cycle de jour et nuit familier : certains endroits étaient ensoleillés, d'autres sous le clair de lune...

Les occultistes qui lisent le témoignage au complet peuvent déceler des indices révélateurs. Des éléments du témoignage de

Joséphine indiquent qu'elle visitait, peu importe la façon dont elle s'y est rendue, le plan astral.

2

Un modèle du plan astral

Dans *Astral Doorways*, j'ai essayé d'expliquer le plan astral en utilisant un diagramme comme celui-ci :

monde mental   moi   monde physique

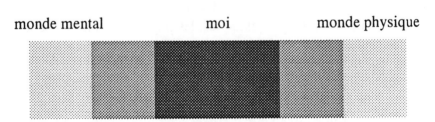

Je ne suis pas certain d'avoir réussi, mais je suis prêt à essayer à nouveau, avec le même diagramme.

Le problème, c'est que le diagramme représente un modèle de l'esprit avec lequel nous ne sommes pas familiarisés. La plupart d'entre nous sont habitués à penser à l'esprit en termes freudiens, avec les subdivisions conscient/inconscient et ça/moi/

surmoi, accompagnés d'une conviction presque instinctive que l'esprit n'est pas vraiment *réel,* ou du moins pas réel comme le monde physique.

Les scientifiques sont au nombre des victimes de cette conviction. Le behaviorisme suggère que notre perception du monde intérieur est en fait une illusion, simplement générée par un modèle complexe de réponses innées et apprises à des stimuli. Même à l'extérieur du behaviorisme, peu de scientifiques sont prêts à considérer l'esprit séparément du corps. Peu importe la structure, la plupart croient qu'il s'agit essentiellement de quelque chose de créé par les impulsions électriques du cerveau, comme de la vapeur produite par une bouilloire. Je crains que vous ayez à oublier tout ce non-sens si vous voulez comprendre le plan astral.

Si vous regardez le diagramme, vous remarquerez qu'il ne montre pas l'*esprit*, mais plutôt le *monde mental.* Ce monde n'est pas créé, causé ou produit par le physique. En fait, le monde mental n'est même pas séparé du physique : les deux forment un *continuum* général.

L'idée n'est ni arbitraire ni particulièrement occulte. Les scientifiques les plus pragmatiques, les physiciens, ont beaucoup de difficultés à s'entendre sur ce qu'est vraiment la *matière*, ce dont est fait le monde physique. Autrefois, c'était facile. La matière était quelque chose que vous pouviez laisser tomber sur le sol. Elle avait une masse. Si vous la laissiez tomber, elle avait une vitesse. Elle pouvait être *mesurée*. N'importe qui pouvait voir qu'elle était *là*. N'importe qui pouvait aussi voir qu'elle était différente de l'énergie, par exemple.

Une théorie voulait que si vous preniez un morceau de matière et le coupiez en morceaux de plus en plus petits, vous auriez finalement un morceau si petit qu'il serait impossible de le couper. Les Grecs appelèrent ce plus petit morceau possible l'*atome*. Les problèmes commencèrent lorsque les scientifiques découvrirent qu'ils pouvaient séparer l'atome. Parce que ce qu'ils trouvèrent à l'intérieur n'était plus de la matière, cela devint rapidement hors de raison.

La physique atomique relève du monde d'Alice au Pays des merveilles, un monde d'espaces vides et de choses appelées particules qu'on peut se représenter comme des boulets de canon minuscules, mais qu'on peut également représenter de façon juste par des formes d'ondes. Le problème est que les particules changent leur comportement lorsqu'on les observe et certaines régressent même dans le temps. C'est un monde étrange comme le principe d'incertitude qui dit que lorsqu'il s'agit de particules individuelles, il est *impossible* de prédire leur comportement. Donc, toute la structure du monde physique est basée sur quelque chose qui n'est pas plus sûr qu'une probabilité statistique. Nous ne pensons pas qu'il va s'écrouler dans les cinq prochaines minutes... mais c'est possible.

Si vous avez de la difficulté à comprendre ce genre de concepts, imaginez comment les physiciens se sentaient. Historiquement, la physique était une discipline qui promettait de mesurer et de peser l'univers. Elle affirmait maintenant que l'univers n'était pratiquement pas là. Il fallut développer de nouveaux concepts pour arriver à un consensus. Un scientifique bien connu suggéra que l'univers était moins une machine géante (le modèle newtonien) qu'une pensée géante.

Il s'agit plus que d'une analogie. Un des apports les plus remarquables de l'histoire de la science revient à Carl Jung, psychologue, et à Wolfgang Pauli, le meilleur physicien de son époque. Spécifiquement, ils travaillèrent pour produire la théorie de la *synchronicité* qui suggère un principe connecteur acausal faisant partie de la nature. Chemin faisant, ils en vinrent à adopter un point de vue voulant que l'esprit était le côté opposé de la matière ou, plus précisément, que l'esprit et la matière étaient les deux faces d'une pièce de monnaie. En d'autres mots, que l'univers est un continuum d'esprit/matière.

Au centre de ce continuum, dans le diagramme, se trouve ce que j'appelle le Moi. C'est vous... et moi aussi, bien sûr. Selon ce modèle, chacun de nous est un focus de conscience (et plusieurs autres choses dont je parlerai dans un moment) capable de regarder d'un côté dans le monde physique et de l'autre, dans le monde mental.

Généralement, lorsque vous êtes éveillé et actif, vous avec une tête de Janus, c'est-à-dire que vous regardez des deux côtés continuellement. Vous pouvez vérifier cet énoncé très facilement avec un peu d'auto-observation. En ce moment, vous regardez le monde physique qui comprend, entre autres, une copie du livre la *Projection astrale*. Mais en lisant, vous regardez une réflexion des mots imprimés sur un écran interne, qui fait partie du monde mental. Si je décris un paysage avec une rivière, un lac et des montagnes, vous pouvez même commencer à voir une réflexion de ce paysage dans votre monde intérieur. Mais l'état de la tête de Janus n'est pas du tout permanent. Il est possible que le focus de votre conscience soit si absorbé par un monde ou l'autre qu'il *entre* dans ce monde et perde le contact avec l'autre temporairement.

Un mouvement de conscience dans le monde physique pourrait se produire lors d'un événement sportif excitant, comme une partie de football ou un tournoi de tennis. En tant que participant, ou observateur, votre attention est tellement absorbée par ce qui se passe dans le monde physique que vous perdez la notion du monde mental. Évidemment, vous n'arrêtez pas de penser ; il serait impossible de jouer au tennis (et même au football) sans penser. Ce qui est absent n'est pas l'activité mentale, souvent confondue avec le monde mental, mais un aspect de votre perception qui, autrement, regarderait votre horizon intérieur.

Tout cela devient plus clair si vous pensez à ce qui vous arrive chaque soir. Lorsque le sommeil vous gagne, votre perception du monde physique cesse et vous avancez dans le monde mental. Les horizons du rêve s'ouvrent, des perceptions nettes qui (au moment où vous les percevez) sont évidemment aussi réelles que tout ce que vous avez connu. La psychologie orthodoxe prétend que le pays des rêves est un *processus* plutôt qu'un endroit, mais même la psychologie orthodoxe ne suggère pas que le processus du rêve absorbe toutes vos capacités mentales. Visiblement, vous pouvez *penser* dans vos rêves, quoique peut-être de façon un peu moins rationnelle que lorsque vous êtes éveillé. Un plus plus tard vous découvrirez que vous pouvez vous *réveiller* dans vos rêves, penser clairement... et continuer à rêver.

La notion du monde mental que vous pouvez observer et dans lequel vous pouvez fonctionner ne prétend pas être la vérité absolue. Il s'agit simplement d'un modèle, et un modèle plutôt simpliste. Mais comme modèle, il exprime très clairement ce que je crois être réel et important : la réalité objective d'une dimension que les autres modèles assimilent à un processus mental individuel.

Je vais maintenant être un peu plus sophistiqué et compléter le modèle. Mais d'abord, je dois identifier le diagramme à nouveau. Même si la *signification* et l'*explication* du modèle n'ont pas changé, je crois qu'il serait plus juste et certainement moins mêlant s'il était identifié comme ceci :

monde astral   moi   monde physique

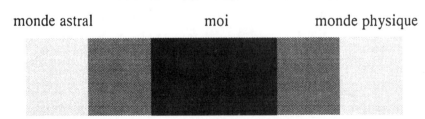

La nouvelle étiquette de gauche indique que, bien qu'il y ait un aspect plus interne, plus subtil et intangible de la réalité

physique, le côté esprit de la matière, que nous pouvons sentir en regardant à l'intérieur (ce que nous faisons), cette partie du continuum ne devrait jamais être confondue avec nos propres processus subjectifs.

L'appeler le «monde mental» comme je l'ai fait signifie seulement que cet aspect de la réalité est analogue à l'esprit humain et peut être *senti* par nos processus mentaux, et non qu'il s'agit de ces processus. Espérons que le changement pour le «monde astral» éliminera toute confusion. Encore une fois, le monde astral est l'intérieur, le côté mental de la matière, un aspect du continuum général. Il peut être *perçu* par notre esprit, il peut aussi être *influencé* (comme nous le verrons bientôt) par notre esprit, mais ce n'est certainement pas la *même chose* que notre esprit. Alors, où se trouve notre esprit? Pour répondre à cette question, j'ai besoin d'un diagramme qui n'apparaissait pas dans *Astral Doorways* :

Moi

ESPRIT

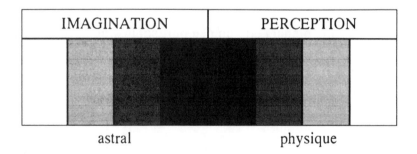

astral   physique

Le diagramme dans sa partie inférieure ne diffère pas du précédent. Il montre le continuum à partir du monde astral fin de la pensée jusqu'à l'univers du monde physique. Mais nous avons maintenant une représentation différente du Moi, ce focus de conscience qui se situe entre les deux mondes. C'est en fait le bon moment de regarder de plus près le Moi, qui a jusqu'à présent été décrit seulement comme le focus de la conscience, mais qui est, même dans le nouveau modèle, beaucoup plus. Le Moi est la totalité de ce que vous êtes. Un de ses aspects s'étend dans le monde physique, ce que nous appelons notre corps. Un autre aspect traite des perceptions du monde extérieur (physique) et intérieur (astral), ce que nous appelons notre esprit.

Dans ce modèle, l'esprit est considéré en termes assez orthodoxes. Il a un aspect conscient et subconscient. Il a – ou peut avoir, selon moi – les structures du ça, du moi, de la libido, du surmoi, etc., dont parlait Freud. Ce qu'il n'a pas est une conscience collective. L'idée remarquable de Jung était une tentative erronée pour expliquer ses observations du monde astral. La grande partie du monde astral se comporte comme Jung avait observé sa conscience collective se comporter. Et Jung, à son honneur, insistait sur le fait que l'expérience d'un inconscient collectif était objective et non subjective. Mais il croyait que l'inconscient collectif était essentiellement un domaine enfermé dans votre crâne, une réflexion du modèle de base du cerveau. En fait, elle était véritablement là, une dimension de l'univers physique que chacun de nous expérimente, consciemment ou autrement.

Si vous examinez le dernier diagramme, vous verrez que l'aspect spirituel du Moi s'étend dans les deux directions. À droite, il s'étend dans le monde physique par les *perceptions*. C'est une façon sophistiquée de dire que l'apport de vos sens permet à votre esprit d'examiner le monde physique et d'y participer par l'intermédiaire de votre corps. À gauche en haut, l'esprit s'étend vers l'intérieur; c'est l'imagination. Cela est particulièrement intéressant entre autres parce que l'imagination est une faculté qui est presque toujours dévaluée par les différentes écoles de psychologie orthodoxe. L'imagination est l'habileté à créer des images dans l'esprit, à visualiser, à rêver éveillé. Ce peut être – et ce l'est souvent – un processus purement subjectif. Mais, comme j'ai essayé de le démontrer dans le diagramme, votre imagination a une relation très spéciale avec le monde astral.

En fait, votre imagination est le point de contact mental avec l'astral. Elle s'ouvre sur le monde astral de façon similaire – mais certainement pas identique – à la façon dont vos perceptions s'ouvrent sur le monde physique. Votre imagination longe pour ainsi dire le monde astral; ou, comme j'ai choisi de le montrer dans le diagramme, elle s'étend par-dessus comme une couverture. Une meilleure analogie serait une couche d'huile flottant à la surface de la mer. La couche d'huile est votre imagination, quelque chose de très différent de la mer et ses propres structures, mais aussi quelque chose de si profondément influencé par la mer qu'elle prend la forme des vagues.

À cause de sa position ouverte, votre imagination sera toujours influencée par les événements du monde astral, mais pour la plupart des gens cette influence est ressentie à un niveau inconscient. Cependant, avec de l'entraînement, votre imagination peut devenir un oeil qui vous permet d'observer des événements astraux assez consciemment.

Par conséquent, vous êtes né avec un esprit équipé de deux facultés de collection de données : vos sens et votre imagination. Une fois que vous avez quitté l'utérus, vos sens sont entraînés et exercés à faire leur travail efficacement afin que, tout au long de votre vie, ils fournissent continuellement des données qui sont traitées par votre esprit. L'exercice de vos sens est une nécessité évolutionniste, car vous ne pourriez pas survivre sans eux.

Il n'existe pas de telle nécessité en ce qui concerne l'entraînement de votre imagination à recueillir des données. La plupart des gens peuvent survivre – et réussissent – très bien sans utiliser leur imagination de cette façon. Il n'est donc pas surprenant de découvrir que l'individu moyen n'a aucune perception du monde astral : l'oeil interne de l'imagination n'a jamais été exercé à le faire. Sans la connaissance du lien avec le monde astral, l'imagination est dévaluée. Le terme «imaginaire» en est venu à décrire ce qui est essentiellement irréel et par conséquent sans valeur. Heureusement, il n'est jamais trop tard pour exercer son sens interne, ce que vous ferez plus loin dans ce livre.

3

L'imagination et
ses influences

À moins que vous ne soyez un physicien atomique, vos perceptions n'influencent pas directement le monde extérieur. Si vous voulez déplacer des montagnes, vous devez persuader votre corps de coopérer. Mais tout comme les événements du monde astral s'impriment dans votre imagination (permettant à celle-ci de s'exercer à être utilisée comme organe de perception), les créations de votre imagination s'impriment dans le monde astral. C'est une des plus importantes doctrines de l'occultisme traditionnel et un concept qui a une portée considérable. C'est, en réalité, la base de presque toutes les pratiques magiques de la tradition ésotérique occidentale et sa connaissance vous évitera beaucoup de confusion lorsque vous entreprendrez votre projection astrale.

Il semble probable que la raison pour laquelle votre imagination peut influencer le monde astral est qu'ils sont, en fait, du même genre. Certaines écoles d'occultisme très anciennes référaient au monde astral comme l'imagination du monde ou, plus précisément, l'imagination de la matière. Il s'agit essentiellement de la même idée que nous avons étudiée avec mon diagramme : la notion que l'univers à un côté mental, que les occultistes appellent le plan astral. Mais l'idée prend de l'importance car nous examinons des réalités véridiques et non symboliques.

En tant que partie de l'univers physique, vous avez votre propre aspect astral dont vous percevez une partie comme votre imagination. Mais votre imagination est sous le contrôle du Moi. Vous pouvez la façonner à votre gré et vous le faites couramment lorsque vous rêvez éveillé. Puisque le monde astral objectif, plus grand, résonne dans votre imagination subjective, les créations de votre imagination seront automatiquement reflétées dans le monde astral. Pas très clairement ni très longtemps, du moins en ce qui concerne la plupart des gens, mais vous pouvez vous améliorer en vous entraînant. Il existe des moyens d'utiliser l'imagination humaine pour influencer le monde astral profondément et de façon permanente.

Vous avez peut-être découvert à ce stade que si votre imagination personnelle est simplement l'expérience subjective de votre propre monde astral, l'examen de votre imagination devrait alors vous donner une idée de ce qu'est le monde astral. Et c'est, en réalité, le cas.

Plusieurs des vieux grimoires évitent les termes monde astral et plan astral et parlent plutôt de lumière astrale. Cela fait suite à l'expérience de mystiques, de magiciens et d'autres voyageurs astraux qui ont découvert que, derrière l'apparence superficielle du monde astral, la réalité ultime était inondée de lumière qui formait différents environnements. Cela ne s'éloigne pas plus de la réalité de l'environnement que les découvertes en physique atomique (qui démontre que la matière est en grande partie faite d'espaces vides) s'éloignent du fait qu'un toit au dessus de votre tête empêchera la pluie de vous atteindre. Mais réaliser que vous avez affaire essentiellement à une lumière astrale vous prépare à une des caractéristiques les plus étranges du monde astral : sa fluidité malléable.

Si vous voulez construire un mur autour de votre jardin (physique), cela vous demandera beaucoup de travail. Vous devez acheter les briques et les empiler. Vous avez besoin de sable, d'eau et de ciment pour le mortier. Ensuite, vous devez placer les briques d'une manière spéciale et les faire tenir avec le mortier. Et encore, si vous ne faites pas un bon travail, il peut arriver que le mur s'effondre. Tout cela démontre que si vous voulez faire des changements dans le monde physique, vous devez investir beaucoup d'énergie et d'efforts. Nous y sommes tellement habitués que nous nous arrêtons rarement pour y penser, mais le monde physique résiste au changement. Pensez à l'équipement lourd nécessaire pour construire une route. Complètement à l'opposé se trouve le monde astral. La «matière» dont est fait le monde astral est tellement plastique, tellement fluide, tellement facile à façonner qu'il est possible de la changer simplement avec la pensée.

Pensez à la manière dont fonctionne votre imagination. Lorsque vous vous assoyez pour savourer votre rêve éveillé, vous créez un environnement imaginaire. Le champagne, la Rolls Royce et les cigares apparaissent par magie, de même que le beau partenaire avec qui vous les partagez. Pratiquement aucun effort n'est requis, à moins que, comme l'auteur ou le peintre, vous vouliez améliorer les détails et la réalité. Le processus devient alors un travail difficile, pour la seule raison que toute créativité est difficile. Si vous avez de la difficulté à former une tête avec de l'argile, le problème vient de votre manque d'habileté et non de l'argile.

Aussi clairement que le terme lumière astrale exprime cette malléabilité, je ne l'aime pas parce qu'il donne l'impression que le plan astral est un endroit sans trait et sans forme, comme si on regardait dans la brume ou les nuages. La réalité est très différente. Ramenez votre esprit à l'abstraction précédente du témoignage d'expérience astrale de Joséphine. Il y avait un sol sous ses pieds et un ciel au-dessus de sa tête. Il y avait des plantes vivantes et un désert de sable. Il y avait un édifice. Il y avait des gens. Rien d'informe là. En fait, en choisissant les passages soigneusement, j'aurais pu facilement vous donner l'impression qu'elle était en vacances en Grèce.

Comment cela correspond-il aux «vagues astrales» dont parle, entre autres, le magicien français Eliphas Levi? En fait, les vagues astrales existent seulement de la même façon que les électrons, les neutrons et les positrons existent : comme une partie de l'arrière plan dont très peu d'entre nous deviennent personnellement conscients. Vous pouvez apprendre que le plan astral est en fait la lumière astrale, mais vous ne l'expérimenterez jamais de cette façon. Ce que vous expérimenterez est un paysage étrange dans lequel les murs de votre jardin sont beaucoup plus faciles à construire. Les paysages et les structures du plan astral surgissent d'une multiplicité de causes.

D'abord, ils sont des réflexions du monde physique. Les caractéristiques physiques semblent s'imprimer aux endroits qui correspondent dans l'astral avec le temps. La notion de temps est importante. Le fait d'avoir construit une cabane hier ne créera pas une structure astrale instantanée. Il faut non seulement des semaines, ou même des années, mais plusieurs siècles avant qu'un trait physique commence à s'imprimer automatiquement dans l'astral. Vous pouvez donc retrouver une cathédrale familière dans le niveau intérieur, mais très peu de bungalows en briques rouges.

Deux facteurs sont nécessaires pour qu'une impression se forme : l'âge et la permanence. Par exemple, un édifice très ancien qui a été constamment modifié ne s'imprime pas bien. Les vieux arbres, qui se modifient constamment en croissant, s'impriment à peine. Même quelque chose d'apparemment permanent comme un paysage est habituellement sujet à l'érosion, aux changements de végétation, aux mouvements des cours d'eau à un degré suffisant pour arrêter la formation de sa contrepartie astrale. Mais certains paysages s'impriment. Les endroits rocheux, les repaires de montagnes, les champs de glace et autres ont une bonne chance de développer une réflexion astrale et, ce faisant, de faire partie du paysage du plan astral.

Les pensées – ou plus précisément les images mentales – s'impriment beaucoup plus facilement dans la lumière astrale, comme il a déjà été mentionné. La fantaisie passagère que vous avez eue la nuit dernière ne laissera aucune trace (vous en serez peut-être soulagé). Ce qu'il faut pour une impression, c'est qu'un grand nombre de personnes se concentrent sur une seule image simultanément; ou qu'un plus petit nombre se concentrent *à maintes reprises* sur la même image. Ce «plus petit nombre» peut même descendre jusqu'à un, mais si vous entreprenez cette expérience seul, vous aurez besoin d'une imagination exercée et de beaucoup de persévérance. Une image motivée par l'émotion s'imprime beaucoup plus efficacement dans l'astral que n'importe quelle autre.

En tenant compte de tous ces facteurs, il est possible de prédire le genre d'impressions qui peuvent être faites sur le plan astral. Vous penserez d'abord aux réflexions de différents environnements physiques, caractérisés par le fait qu'ils sont demeurés inchangés, sur le plan physique, pendant des siècles. Cette catégorie comprendrait surtout des traits géographiques, mais elle inclut aussi certaines structures construites par l'homme, comme la pyramide de Giza. Ensuite, il y a les images réfléchies des préoccupations de certains groupes d'humains. On a quelquefois fait référence dans la littérature occulte à des endroits de «l'astral inférieur» qui sont supposés être le reflet des schibboleths du subconscient humain, des endroits sombres remplis de rage réprimée, de peurs incontrôlées et de sexualité perverse.

Je n'ai encore jamais rencontré quelqu'un qui a visité personnellement ces endroits et j'ai beaucoup de difficultés à accepter cette réalité. Les mécanismes à la base de leur formation sont franchement faux. Ce qui s'imprime est une image durable et non une masse d'émotions amorphe. Vous pouvez, je le reconnais, prendre une «sensation» ou une «atmosphère» produite par une réaction émotive de masse à un désastre humain, par exemple la misère causée par la famine en Éthiopie. Mais les désastres humains sont limités dans le temps (parce que les gens qui en souffrent meurent) et la réaction émotive est par conséquent de courte durée; les chances d'impression permanente sont donc très minces.

Puisque la race humaine, en tant que formant un tout, partage très peu d'images obsessives, les impressions les plus probables ont tendance à provenir de la race et sont habituellement reliées à la religion, étant donné que les images profanes sont fréquemment de courte durée. Il peut arriver que certaines tendances architecturales ou artistiques s'impriment, tout comme une question politique de longue date, mais elles seront toutes instables dans le monde astral et ne dureront guère plus longtemps que leur contrepartie du monde physique. Les exceptions sont, bien sûr, les styles produits par les civilisations plus durables – toutes anciennes – comme les Grecs, les Romains ou les Chinois. Ceux-ci survivent typiquement à leur manifestation physique, et souvent très longtemps.

Un exemple d'image religieuse imprimée dans l'astral peut être la perception d'une culture de la résidence de ses Dieux. Ainsi, on peut s'attendre à trouver une réflexion de l'Olympe, basée sur le concept grec et qui a survécu longtemps après la disparition de la Grèce ancienne. Notre propre culture, je crois, travaille ardemment à imprimer des images plutôt bêtes du paradis comme une ville de nuages et de harpes et de l'enfer comme une caverne de feu ardent.

Près des préoccupations raciales sont les préoccupations de groupe, mais ici aussi les impressions ont tendance à être religieuses. Rien d'autre ne fournit vraiment l'image unique et l'émotion combinées avec la sorte de concentration rituelle qui peut constamment projeter la même image jour après jour pendant des années. Les groupes commerciaux ou politiques, qui sont cependant traditionnels, fourniront rarement suffisamment de facteurs nécessaires à une impression permanente.

Sur le plan individuel, peu d'entre nous ont une chance de faire une impression permanente dans l'astral. Mais il y a quatre exceptions : l'artiste créateur, le magicien, le voyageur astral et l'obsédé mental.

Pour commencer avec la dernière catégorie, un obsessif poussé par ses émotions peut parfois produire suffisamment d'énergie et de persévérance pour imprimer l'objet de son obsession dans la lumière astrale, ce qui est malheureux car elle aura tendance à renforcer l'obsession. Les autres catégories sont un peu plus positives. Le magicien est, bien sûr, entraîné aux opérations astrales. L'esprit du magicien est habile pour visualiser et se concentrer; il est un expert dans les techniques pour susciter les émotions qui alimentent les impressions permanentes. Il s'agit d'une sorte d'hystérie contrôlée, mais cela fonctionne.

L'artiste créateur apporte d'autres éléments dans le décor, en relation à sa spécialité particulière. Un architecte travaillant sur le plan d'une maison créera, avec une implication émotive et une visualisation claire et détaillée, une impression temporaire qui, cependant, aura tendance à se stabiliser une fois la maison construite. Un romancier populaire, au contraire, imprime dans l'astral par l'intermédiaire de ses lecteurs. L'engagement émotif de millions de lecteurs sur une période de plus d'un siècle me fait dire sans crainte qu'il est possible, avec de la chance, de rencontrer Cendrillon ou Pinocchio dans le plan astral. Ils seraient des enveloppes, bien sûr, car la personnalité construit une ombre plus limitée que l'original, mais vous ne vous en apercevriez pas en leur serrant la main.

La catégorie des voyageurs astraux imprime avec succès pour des raisons que je ne comprends pas tout à fait – en fait, pour des raisons que je ne comprends pas du tout. Mais à partir d'expériences, je sais que si vous pouvez vous projeter directement dans l'astral, il vous sera plus facile de modifier l'environnement astral qu'il le serait sur le plan physique. Joséphine n'avait besoin d'aucun entraînement spécial pour créer sa rose. Cela nous amène à un point intéressant. Nous avons vu que votre imagination peut être *entraînée à regarder* dans le plan astral et même à *créer des structures* dans le plan astral, mais aucune de ces habiletés ne semble reliée à la *projection* elle-même. En fait, jusqu'à ce stade, nous n'avons rien vu qui semble fournir un *mécanisme* prometteur pour la projection. Tout le tableau suggère que vous pouvez regarder et que vous pouvez manipuler, et non que vous pouvez entrer.

Cependant, il est évident qu'il est possible d'entrer dans le plan astral. Les occultistes en parlent depuis des siècles et nous avons déjà vu les témoignages de Joséphine, de Swedenborg et d'autres voyageurs qui prétendent y être allés. Pour découvrir comment, regardez maintenant une autre modification de notre diagramme familier :

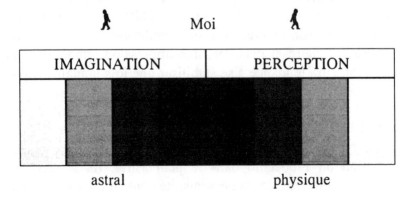

astral   physique

Deux silhouettes ont été ajoutées, une marchant vers la droite, l'autre, vers la gauche. Celle de droite symbolise votre corps physique, cette belle pièce de muscles, d'os et de sang qui vous permet de fonctionner dans le monde physique. Celle de gauche est une sorte de corps tout à fait différent, que vous ignoriez avoir.

4

Présentation de
votre corps astral

Si vous avez lu la première partie du livre avant de commencer cette section, vous connaissez déjà votre second corps (éthéré), un champ électrique qui fournit le modèle de votre forme physique. Vous vous souviendrez peut-être aussi que j'ai parlé du fait que nous avons plusieurs corps subtils, l'un à l'intérieur de l'autre, comme une poupée russe. Et vous devriez vous souvenir de l'exercice final, la technique du corps de lumière, qui permet quelque chose de similaire à la projection éthérée, mais qui semble comporter un genre de véhicule éthéré différent de celui dont nous avons parlé auparavant.

Il est temps d'admettre que la technique du corps de lumière ne fait qu'*imiter* la projection éthérée et n'en provoque pas une. En réalité, elle ne fait que séparer les différents corps subtils, le vrai corps astral. Ce corps peut fonctionner sur le plan physique; et il le fait lorsqu'il simule une projection éthérée. Mais sa vraie demeure est le monde astral. C'est le véhicule que vous utiliserez dans les projections astrales complètes.

Le corps astral ne semble pas être un champ électrique, ni rien qui peut être facilement reconnu par la science moderne. Les occultistes prétendent qu'il est composé de «matière mentale», spécifiquement la même matière que vous manipulez dans chaque acte d'imagination visuelle. Cela signifie qu'il est fait de la même matière ultrafine que le plan astral. Mais comme nous savons fort peu de chose sur la physique du plan astral, cela nous mène nulle part. Cependant, on peut parler longtemps du corps astral à partir d'expériences. Il démontre sans aucun doute des caractéristiques très étranges.

Pendant une projection éthérée, vous vous sentez comme dans votre corps physique, jusqu'à ce que vous décidiez de passer à travers un mur. Une projection astrale restreinte dans le plan physique peut être très similaire... mais aussi très différente. Revenez à la technique du corps de lumière. Au moyen de cette technique, votre imagination crée un corps subtil. Nous sommes conditionnés par notre culture à croire que tout ce qui est imaginaire est essentiellement irréel, ou du moins très subjectif. Cependant, des preuves établissent que ce n'est pas le cas.

Madame Alexandra David-Neel, une des rares Occidentales à avoir exploré en profondeur la préinvasion du Tibet et la seule femme, à ma connaissance, à avoir été lama, a écrit un témoignage fascinant au sujet de ce qu'on appelle la *création d'un tulpa*. Un tulpa, selon la doctrine traditionnelle tibétaine, est une entité créée par l'imagination, un peu comme un personnage de roman, sauf que les *tulpas* ne sont pas écrits. Madame David-Neel devint si intéressée au concept des tulpas qu'elle décida d'essayer d'en créer un.

Les méthodes utilisées ne sont pas très différentes de la technique du corps de lumière; c'est essentiellement une question de concentration et de visualisation prolongées et régulières. Mais, alors qu'avec le corps de lumière vous créez simplement une enveloppe que vous planifiez animer plus tard, le tulpa est conçu en tant que personnalité totale, tout à fait séparé et distinct de vous-même.

Le tulpa de Mme David-Neel commença son existence sous la forme d'un moine rondelet et banal, ressemblant un peu au Frère Tuck. La vision était d'abord tout à fait subjective, une vision qui existait uniquement dans son esprit. Graduellement, avec la pratique, Mme David-Neel fut capable de visualiser le tulpa à l'extérieur, comme un fantôme imaginaire se promenant dans le monde réel. Avec le temps, la vision devint plus claire et plus substantielle, jusqu'à ce que madame fut en mesure de voir le tulpa comme une réalité solide et objective, ce que la psychologie occidentale appellerait une hallucination autoprovoquée. Dès qu'elle voulait le voir, il était là.

Cependant, le jour vint où l'hallucination cessa d'être sous son contrôle conscient. Elle découvrit que le moine apparaissait de temps à autre sans qu'elle ne l'ait voulu. Cela était très inquiétant. Et le fait que son petit personnage amical s'amincissait et prenait un aspect sinistre l'était davantage. Éventuellement, ses compagnons, qui n'étaient pas au courant de son exercice mental, commencèrent à poser des questions sur l'étranger qui avait visité leur camp, une indication nette que la créature qui n'était rien de plus qu'une imagination solidifiée, avait une réalité objective bien définie.

Mais la seule différence entre le tulpa vu par les autres et la créature initiale créée par Mme David-Neel, était la durée et l'intensité de sa concentration. Nous devons admettre, rationnellement, que si le tulpa était visible et objectif à la fin de l'exercice, il était probablement aussi objectif – mais invisible –

au début. Cela signifie que le corps de lumière que vous avez créé était aussi réel. Mais si ce corps avait une substance, c'était une substance imaginaire, ou une substance astrale. (Vous serez peut-être porté à ne pas partager ce raisonnement puisque le corps de lumière est entièrement artificiel, quelque chose dont vous avez rêvé au cours de l'exercice. Et j'ai déjà dit que votre corps astral était un corps formé d'une série de corps subtils qui forment une partie naturelle de votre anatomie ésotérique. Mais j'ai des raisons de croire que la distinction entre le corps astral naturel et le corps astral artificiel est beaucoup moins nette que vous pouvez le penser : je vous ai bien averti que le corps astral était étrange. Dans ces circonstances, vous pouvez peut-être me faire plaisir et attendre avant de juger.)

Lorsque vous avez créé ce corps et que vous vous êtes imaginé regardant le monde avec ses yeux, il y a de fortes chances que l'expérience ait d'abord été un peu différente de la partie précédente de l'exercice où vous vous êtes simplement imaginé marchant dans la pièce sans référence à un corps astral quelconque. Ce qui revient à dire que vous sentiez comme si vous rêviez éveillé. Et au début, vous étiez peut-être vraiment en train de rêver éveillé, c'est-à-dire engagé dans un exercice purement subjectif, puisqu'il est extrêmement difficile de différencier la vision subjective de la projection astrale dans les premières étapes.

Ce que vous avez essayé de faire dans cette partie de la technique du corps de lumière n'était pas de projeter un corps subtil, mais plutôt de projeter le *focus de conscience*. Vous avez, si je puis dire, essayé de faire flotter votre esprit hors de votre corps physique afin qu'il puisse peut-être *animer* l'enveloppe astrale que vous avez créée. Avec beaucoup d'expérience, il est possible de sentir le moment précis où vous réussissez à le faire, mais la sensation est très subtile. Pour la plupart des gens, la seule façon sûre de savoir s'ils ont réussi à animer une enveloppe astrale (au contraire du rêve éveillé) est de ramener, en utilisant l'enveloppe astrale, de l'information qu'ils ignoraient jusque-là : par exemple, entrer dans une pièce inconnue et en décrire le contenu de façon précise.

Même si l'animation d'une enveloppe astrale est une projection valide, l'expérience subjective de ce corps astral artificiel diffère peu d'un acte imaginaire. Votre corps et l'environnement manquent de réalité. Cette expérience a tendance à changer, à faiblir et à arrêter, laissant votre conscience dans votre corps physique.

Si vous avez déjà effectué une projection éthérée, vous verrez la différence tout de suite. Les projections éthérées sont caractérisées par leur sensation absolue de normalité. La plupart des projecteurs inexpérimentés croient qu'ils sont encore dans leur corps physique jusqu'à ce que quelque chose (comme mon expérience de la poignée de porte qui refusait d'obéir) les force à accepter le fait qu'ils ne le sont pas. Mais si vous continuez de pratiquer à projeter votre conscience dans l'enveloppe astrale, il viendra un temps où quelque chose de très excitant se produira. L'expérience devient aussi réelle qu'une projection éthérée. Il n'existe plus aucun doute à savoir si vous rêvez éveillé : vous savez parfaitement que ce n'est pas le cas.

À ce niveau, du moment que vous restez seul dans un environnement qui vous est familier, il y a peu de différences entre cette expérience et une vraie projection éthérée. Ce qui se produit est qu'en plus de projeter le focus de votre conscience, vous avez réussi à projeter votre corps astral naturel aussi. Il coïncide avec l'enveloppe astrale créée et fusionne avec elle. Mais remarquez le terme «seul» dans la phrase au sujet de différencier entre les deux types de projection. Lorsque vous projetez votre corps astral pour imiter une projection éthérée, votre *champ de perception* est plus grand que lorsque vous êtes emprisonné dans votre corps éthéré. Spécifiquement, vous êtes en mesure de voir des entités à votre niveau d'existence, c'est-à-dire des entités astrales. Les pro-

jections du corps astral de ce genre confondent parfois le projecteur qui découvre qu'il peut voir des gens – et parfois des
créatures – qu'il sait absents.

J'ai un exemple de ce phénomène mettant en cause le même
Arthur Gibson dont j'ai parlé dans la première partie du livre. Lors
d'une projection du corps astral qui ressemblait à une projection
éthérée, il a réussi à décrire une partie de l'intérieur d'une maison
étrangère; il rencontra même un individu qu'il croyait être le propriétaire et lui parla. Une enquête subséquente indiqua que cet
individu n'existait pas... du moins sur le plan physique.

Moins souvent, l'extension de votre perception crée une sorte
d'effet de chevauchement où votre conscience potentielle du plan
astral est, pour ainsi dire, superposée dans le physique. Le résultat
peut provoquer une confusion car les environs familiers prennent
un aspect étrange. Plusieurs des descriptions de projection de
Robert Monroe semblent indiquer qu'il expérimentait cet effet.
Incidemment, il est possible d'obtenir une expérience très similaire
dans le contexte d'une projection astrale. Le plan, comme nous
l'avons déjà dit, est très malléable, tellement que certaines personnes semblent capable de lui donner des formes *inconsciemment.*
Si vous êtes de ces derniers, et surtout si vous n'êtes pas familiarisé
avec la projection astrale, vous découvrirez peut-être que vous avez
créé une scène physique familière que vous prenez pour la chose
réelle. Mais ce n'est pas la vraie chose et les entités astrales peuvent
entrer dans votre création ou en sortir à leur gré.

La fusion de votre vrai corps astral avec l'enveloppe que
vous avez créée est une expérience sans douleur qui comporte un
aspect intéressant : vous prenez normalement la forme du corps
artificiel. Évidemment, si vous avez créé ce corps à votre image,
la fusion ne laisse rien paraître. Mais si vous avez créé une forme
différente – un personnage sinistre, par exemple – cela sera, pour
la durée de la projection, la forme de votre corps astral. On peut
donc déduire facilement que le corps astral partage une fluidité

particulière propre à l'endroit. Si vous vous êtes déjà demandé comment c'était être un loup-garou, la projection astrale est donc un excellent moyen pour le découvrir, car lorsque vous connaissez la possibilité, vous pouvez en faire ce que vous voulez.

Dans un de ses romans où il abordait la question de l'occultisme, Dennis Wheatley décrivait comment le vilain pourchassait le héros (chacun étant dans son corps astral respectif) dans la lumière astrale. Les deux changeaient de forme effrontément au cours de la chasse : le héros devint une mouche pour s'évader d'un filet... le vilain devint un oiseau pour manger la mouche... le héros devint un serpent pour tuer l'oiseau... et ainsi de suite. Pas mal pour un suspense et si la description était un peu exagérée, le principe de base était acceptable car sur le plan astral, ou plus précisément dans notre corps astral, nous pouvons prendre n'importe quelle forme. Ceci peut vous porter à croire que le corps astral n'a pas de forme propre, et il existe dans les faits certains témoignages de projecteurs qui ont voyagé sur le plan astral dans des corps avec si peu de caractéristiques qu'ils apparaissaient comme une boule de lumière. Cependant, ma propre expérience suggère clairement que le corps astral a une forme particulière à laquelle il revient naturellement si vous le laissez tranquille.

Lorsque l'astral coïncide avec le physique, l'éthérique et les autres véhicules subtils, il n'y a aucun problème. Ils sont tous, plus ou moins, le miroir de l'autre. La nuance provient d'un soupçon de longue date voulant que l'image du corps soit plus proche du corps astral que du physique. Il n'est pas rare de voir des individus avoir une image de leur corps qui diffère, parfois considérablement, de la réalité. Cette image corporelle a été mesurée. Dans une série d'expériences ingénieuses, on demandait à des volontaires de s'examiner dans des miroirs déformants et d'indiquer quelle image ressemblait le plus à la réalité.

Les enquêteurs découvrirent que, chez certains sujets, il y avait une différence marquée entre l'image choisie et la réalité de leur corps physique. C'est une découverte que je peux corroborer après avoir été directeur d'une clinique d'amaigrissement. À cette époque, j'étais habitué aux clients qui percevaient leur poids, leur forme et leur corpulence de façon tout à fait incorrecte. À une occasion, une jeune professionnelle, tellement mince qu'elle aurait pu être une victime de la famine, me dit sérieusement qu'elle était «comme un éléphant». Il se peut qu'une certaine distorsion du corps astral produise une image de cette sorte. Ou bien, cette sorte d'image produit presque inévitablement une certaine distorsion du corps astral. D'une façon ou d'une autre, elle produit un véhicule subtil qui n'est pas le double du physique.

Une fois que vous avez réussi à vous projeter sur le plan astral, mon expérience indique que votre corps astral ne reflète *jamais* votre physique. Pourquoi? Je n'en ai aucune idée, mais ce fait est corroboré par une observation directe.

La variation est extrême et ne peut être décrite par une quelconque distorsion de l'image du corps. Dans un cas qui me vient à l'esprit, le projecteur était une petite femme blonde aux yeux bleus, de constitution carrée avec des traits bien définis. Son corps astral avait les cheveux et les yeux bruns, était de taille moyenne et légèrement rondelet. Il avait aussi l'apparence d'une femme plus jeune, peut-être jusqu'à 20 ans.

Mon propre corps astral diffère tout autant de mon physique : il a une apparence plus jeune, est rasé de près (alors que j'ai une barbe depuis l'âge de 17 ans), est plus grand et définitivement plus gras que je ne le suis, avec des traits plus doux. Il ne porte pas non plus de lunettes, ce que je suis forcé de faire depuis l'âge de 12 ans, même si je ne peux pas, je suppose, éliminer la possiblité de verres de contact astraux.

Pourquoi et comment ces différences se produisent-elles? Je n'en ai aucune idée, mais la situation est encore plus confuse à cause du facteur surprenant de la reconnaissance instantanée.

Pendant une projection, vous pouvez rencontrer un ami qui est tout à fait différent de son corps physique, mais vous le reconnaitrez instantanément. Encore une fois, je ne sais pas pourquoi ou comment, mais ce phénomène éveille évidemment un soupçon à savoir que nous sommes peut-être beaucoup plus familiarisés avec ce genre d'expériences que nous le pensons. Ceci n'est pas du tout une suggestion farfelue. Certaines preuves établissent que nous sommes capables de fonctionner simultanément sur les plans astral et physique, avec les deux corps démontrant une conscience d'esprit mais aucun, apparemment, n'étant conscient des activités de l'autre. Ce genre de bilocalisation interdimensionnelle inconsciente m'apparaît comme un champ de recherche prometteur, mais vous serez soulagé d'apprendre que je ne compte pas faire une telle recherche ici.

Une autre école de pensée soutient que le rêve est une projection astrale inconsciente; une théorie difficile à prouver ou à réfuter. Comme nous avons vu dans la première partie, certains projecteurs, comme Sylvan Muldoon, considèrent certains rêves comme des souvenirs brouillés de projection *éthérée*. Les deux idées, bien sûr, ne s'excluent pas mutuellement; et si les rêves sont vraiment des exemples de projections astrales régulières, cela expliquerait certainement pourquoi nous reconnaissons des amis si facilement sur le plan astral, même si leur apparence diffère considérablement de ce que nous connaissons dans le physique.

Curieusement, puisque la littérature occulte est vaste et le concept du corps astral ancien, il existe remarquablement peu de témoignages détaillés de ce corps subtil ou de la physique du plan astral. Mais vous n'en aurez peut-être pas besoin, puisqu'une foule d'informations sur les mécanismes de la projection astrale sont disponibles, ce que, avec de la chance, vous mettrez en pratique très bientôt.

5

Le rêve lucide

Dans l'introduction d'un petit livre pratique, *Lucid Dreaming*, Gregory Scott Sparrow avait ceci à dire :

> Pendant des décennies... la littérature occulte et métaphysique occidentale a discuté de la projection astrale et de l'expérience hors corps. Cependant, l'approche unidirectionnelle qui a caractérisé ces premiers écrits était d'essayer de déterminer où allait l'esprit ou l'entité. Cette approche mettait l'accent sur le fait de quitter physiquement la situation du corps et le monde. Ces écrits avaient tendance à regarder l'environnement de l'expérience hors corps comme un lieu existant dans le temps et dans l'espace.
>
> L'expression «rêve lucide» représente une orientation tout à fait différente de la même expérience. Au lieu de supposer que la personne échappe aux limites de son corps, cette orientation se concentre sur le fait que la conscience réfléchie opère sans l'intervention apparente du corps, offrant ainsi la possibilité que le rêveur a dépassé le temps et l'espace. Par conséquent, tout ce qu'il

reste à discuter est l'état de consience du rêveur pendant l'expérience, en d'autres termes la «lucidité.

Bien sûr, le rêveur lucide a alors tendance à tirer des conclusions à savoir où il peut être (hors du corps, sur le plan astral...). Mais ces conclusions sont de simples suppositions et peuvent conduire à toutes sortes de systèmes compliqués pour décrire le processus physique de l'esprit quittant et réintégrant le corps. Cela évite la possibilité que le projecteur soit en lui-même et que cet autre monde qu'il voit soit une excroissance de ses attitudes et expériences antérieures.

Inutile de vous dire que je suis tout à fait en désaccord avec cette théorie. Puisque les fantômes éthériques et astraux ont été vus par d'autres et que les mêmes endroits du plan astral ont été visités par différents voyageurs, il semble tout à fait clair que «quitter physiquement sa situation dans le corps et dans le monde» est exactement ce qui se produit.

Je ne suis pas d'accord non plus que cela élimine la possibilité que le monde visité par le projecteur soit une excroissance de ses propres attitudes et expériences antérieures. La structure du plan astral est telle que cela est bien possible. La lumière astrale est suffisamment malléable pour prendre n'importe quelle forme imposée inconsciemment par le projecteur créatif et, dans ce sens, est certainement une excroissance des attitudes et expériences antérieures du projecteur. Cela n'en fait pas un monde subjectif, mais simplement un monde objectif qui reflète curieusement des états subjectifs. Pour toutes ces raisons, le rêve lucide est un bon moyen pour commencer à explorer le plan astral. Si les experts disent vrai – et j'ai toutes les raisons de croire qu'il en est ainsi – alors vous êtes *déjà* un projecteur astral qui voyage inconsciemment dans l'autre monde, la nuit.

Le mot clé est, bien sûr, *inconsciemment.* Les rêves peuvent être très agréables lorsqu'ils se produisent, mais ce sont des choses qui *vous arrivent.* Vous n'avez aucun contrôle (conscient) de votre environnement (astral) dans un rêve. Il change et se modifie de façon intermittente, créant cette fluidité si caractéristique des rêves. Et c'est une expérience de déception. Pendant un rêve, vous n'êtes pas conscient que vous rêvez, vous n'êtes pas conscient que vous êtes, en fait, projeté dans un nouveau monde. Vous supposez plutôt à la légère que l'action se déroule quelque part dans le monde physique où vous vivez pendant le jour, même si cela est improbable. Après l'événement, le rêve est pris, bien sûr, pour ce qu'il est. Mais le souvenir des détails s'efface rapidement. La plupart des rêves sont oubliés quelques minutes après le réveil. Dans plusieurs cas, l'amnésie au réveil est si profonde que l'individu est convaincu qu'il ne rêve jamais.

Si les rêves de ce genre représentent une projection astrale, ils sont alors des projections qui diffèrent seulement techniquement des visions subjectives. Dans les rêves, l'environnement astral est entièrement créé par votre esprit inconscient, les événements qui se déroulent sont des dramatisations de vos préoccupations inconscientes, les gens que vous rencontrez sont des personnifications de votre propre processus psychique. Le fait que vous manipulez l'environnement astral est sans importance. En termes pratiques, le monde des rêves a pu être créé par une série d'impulsions électriques dans votre cerveau. Le rêve *lucide* est différent.

Scott Sparrow décrit le rêve lucide assez simplement comme un rêve où le rêveur devient conscient. Cela ressemble à la technique de projection éthérée de Sylvan Muldoon où une autosuggestion déclenche un processus de réveil à un moment prédéterminé dans un rêve de projection. Mais ce sont, en fait, deux choses tout à fait différentes. La technique de Muldoon visait à briser le rêve et à vous rendre conscient de votre projection dans le monde physique. La définition de Sparrow signifie seulement que vous devenez *conscient* que vous rêvez. Le rêve demeure intact et vous ne vous réveillez pas.

En raison de votre familiarité générale avec le rêve, devenir conscient dans un rêve constitue une excellente introduction au plan astral. Votre première pensée sera presque inévitablement que vous contrôlez totalement votre environnement et que vous pouvez aller où vous voulez et faire ce que vous voulez. La sensation de liberté est spectaculaire.

Parce que le plan astral est à la fois vaste et objectif, la sensation d'omnipotence qui s'ensuit généralement est ultimement une illusion, mais elle vous permet au moins de commencer votre apprentissage du plan astral sans paniquer. La panique sur le plan astral est un plus grand problème que sur le plan physique, et elle peut causer passablement d'ennuis même dans le plan physique! À cause de sa nature réfléchie, le plan vous permet trop facilement de confronter vos craintes *objectivement*, ce qui peut être extrêmement déplaisant dans le meilleur des cas, et tout à fait terrifiant si vous n'êtes pas préparé ou, pis encore, si vous ne réalisez pas ce qui arrive.

Dans *Astral Doorways*, je faisais remarquer que si vous rencontrez quelque chose de mauvais dans l'astral, c'est parce qu'il y a quelque chose de mauvais en vous. Il s'agit d'une légère exagération, puisqu'*il y a*, dans le plan, des éléments objectifs mauvais qui existent de leur propre chef ou qui sont générés par d'autres. Mais, en règle générale, tout ce que vous rencontrez est une auto*création* ou une auto-*attraction*. Ce dernier point est important. Un environnement autocréé ne reflète pas seulement directement vos besoins, vos craintes et vos désirs inconscients, mais il *attire* aussi des entités objectives de même nature. Pour fonctionner de façon efficace sur le plan astral, vous devrez non seulement être responsable de vos actions, mais aussi de votre caractère et de vos émotions.

Edgar Cayce, le fameux prophète du sommeil américain, répondit à la question : «Qu'est-ce qui gouverne les expériences du corps astral dans le quatrième plan dimensionnel pendant le sommeil?» Sa réponse, dont la phraséologie peut porter à confusion, souligne ce que je viens de dire :

> C'est ce qui le nourrit. C'est ce qui le constitue, ce qui le recherche; ce que l'esprit mental, l'esprit subconscient, recherche! Cela gouverne...

En d'autres mots, dans l'astral, vous trouverez tout ce que vous recherchez inconsciemment, bon ou mauvais. Heureusement peut-être, le contrôle *total* de votre environnement astral est rare (en fait, voire impossible) et la réflexion de votre état inconscient dans l'environnement ne se produit pas toujours, sauf de manière très générale. Mais avant de vous en faire avec ce genre de choses, il y a le problème évident de devenir conscient pendant un rêve. La plupart des gens ont, un jour ou l'autre, eu un rêve dans lequel la possiblité qu'ils rêvaient leur est venue à l'esprit par accident. Malheureusement, une telle prise de conscience brise presque invariablement le rêve et provoque le réveil. Le truc est de déclencher cette prise de conscience sans arrêter le rêve. Il existe un grand nombre de techniques pour y arriver.

La première étape importance est de porter une plus grande *attention* à vos rêves. Notre culture a convaincu la plupart d'entre nous que le rêve est une activité inutile sans aucune importance, une sorte d'attraction créée par le cerveau qui cherche à éliminer les toxines accumulées pendant la journée. Les cultures plus anciennes, et peut-être plus sages, ne négligeaient pas les rêves : elles croyaient qu'ils pouvaient être le véhicule de prophéties ou de messages des divinités. Peu importent ces croyances, les rêves ont une importance certaine pour celui qui espère devenir un projecteur astral et, par conséquent, ils valent la peine d'être étudiés.

Une façon d'étudier vos rêves est d'avoir un carnet de notes ou une enregistreuse près de votre lit et d'y relater le contenu de vos rêves dès votre réveil. Ce n'est pas toujours facile. Pour bien des gens, un effort mental au réveil est la dernière chose qu'ils souhaitent. Mais avec de la volonté et de la persévérance, cela devient éventuellement une habitude, donc plus facile. À défaut de l'approche du carnet de notes, il est bon chaque matin – aussi tôt que possible – de faire un effort conscient durant quelques minutes pour se rappeler les rêves de la nuit précédente. Ce que vous recherchez, dans les premiers temps, est une indication quelconque de rêve *prélucide.*

Un rêve prélucide est un rêve où vous rêvez que vous vous réveillez sans, cependant, le faire vraiment. Je veux être très clair sur ce point : dans un rêve prélucide, vous rêvez que vous vous éveillez et que vous sortez d'un rêve, mais vous ne vous réveillez pas vraiment et vous ne devenez pas non plus conscient que vous rêvez. La plupart des gens ont ce genre de rêve de temps à autre, mais le fait d'en avoir un dans les circonstances actuelles ne relève pas entièrement du hasard. Alors que vous commencez à étudier activement vos rêves dans l'intention d'expérimenter le rêve lucide, vous augmentez automatiquement vos chances. (Les mécanismes psychologiques sont assez clairs : en pensant au rêve lucide, vous suggérez à votre esprit inconscient d'en produire quelques-uns.)

Les rêves prélucides se rapprochent du rêve lucide et sont souvent d'une clarté et d'un réalisme remarquables. Mais ce ne sont toujours pas des rêves lucides : ils ne vous permettent pas de réaliser que vous rêvez. Néanmoins, leur apparence indique que vous faites des progrès. Vous pouvez accélérer le processus par certains moyens. Sparrow a découvert qu'il existait une relation entre le rêve lucide et la méditation :

> Lorsque la lucidité devient présente de plus en plus régu-
> lièrement dans les mois qui suivent, je me suis vite rendu compte
> qu'elle survenait de façon prévisible après une méditation complète
> et profonde. Il devint clair que lorsque ma vie de dévotion était
> intense, les rêves lucides survenaient en concomitance. La relation

devint plus prononcée lorsque je commençai à méditer pendant 15 à 20 minutes aux petites heures du matin (entre deux et cinq heures du matin).

Il en conclut qu'une méditation assidue aux premières heures du matin, dans un but d'*harmonie*, entraînerait un rêve lucide, mais il prévient que la méditation dans le but d'*obtenir* un rêve lucide avait peu de chance de réussir. Ses propres essais en ce sens connurent des échecs répétés et il eut fréquemment des rêves qui lui disaient de ne pas le faire. Le point est si subtil qu'il mérite d'être répété. La méditation matinale dans un but, disons, d'évolution spirituelle, a tendance à être suivie de rêves lucides, une sorte d'effet secondaire. La méditation matinale faite dans le but de déclencher le rêve lucide ne fonctionne pas.

Je devrais, je suppose, spécifier que Scott Sparrow, à en juger par ses écrits, est un individu profondément attaché à la spiritualité et aux idéaux chrétiens. Initialement, il croyait fermement – et il le croit peut-être toujours – que le rêve lucide était un «don». Il écrivait dans *Lucid Dreaming* : «Je me souviens du jour où, étendu sur mon lit, déconcerté, je me demandais pourquoi cette expérience m'était donnée et ce que j'avais fait pour la mériter.» Il conclut, à cette occasion, que l'expérience suivait un acte désintéressé envers son frère et que les actes désintéressés avaient été rares dans sa vie. À la suite de plusieurs expériences, il nota que la lucidité survenait souvent après une expérience d'amour ou de rapport profond avec une autre personne.

Comme je ne suis pas particulièrement spirituel, j'ai personnellement de la difficulté à me prononcer sur la validité de cette relation, mais j'en fais mention dans l'espoir que cela peut être utile à certains lecteurs. L'effet de la méditation est cependant très intéressant et s'applique beaucoup plus universellement puisque toutes les formes de méditation, bien exécutées, ont tendance à vous rapprocher de votre moi essentiel, ce que je crois être le facteur déclencheur du rêve lucide.

La méditation ayant pour *objectif* le rêve lucide créerait automatiquement des barrières puisque que c'est un but superficiel en soi. Le résultat est le même que lorsqu'on *essaie* de se relaxer. La relaxation est une question de *laisser-aller*. Aussi longtemps que vous *essayez*, vous ne vous laissez pas aller complètement. C'est seulement lorsque vous apprenez à arrêter d'essayer que la relaxation est possible. Un autre élément déclencheur a été proposé par Sylvan Muldoon dans un contexte différent : l'autosuggestion. Vous pouvez le faire immédiatement, avant de vous endormir lorsque vous êtes agréablement relaxé et que votre inconscient, maniable, fait ce que vous lui dites. Répétez-vous simplement, à maintes reprises, que la prochaine fois que vous allez rêver, vous allez devenir conscient du fait que vous rêvez.

Vous pouvez essayer d'associer cette suggestion à un scénario de rêve typique. C'est ici que l'étude de vos rêves trouve sa justification car, à ce stade, vous devriez être en mesure d'isoler des thèmes répétitifs, ou du moins typiques. Vous pouvez, par exemple, trouver que dans plusieurs de vos rêves vous marchez dans la rue. Si c'est le cas, vous devriez suggérer que la prochaine fois que vous marcherez dans la rue, vous serez conscient que vous rêvez. Puisque vous avez une image visuelle (la rue) avec laquelle vous pouvez travailler, il serait utile de faire la suggestion sous forme visuelle, en vous *imaginant* en train de rêver, devenant ensuite conscient que vous rêvez. Continuez d'utiliser la suggestion tous les soirs et, tôt ou tard, votre rêve de la rue se répétera et déclenchera la suggestion. Une technique quelque peu différente attend que vous soyez dans le rêve avant d'essayer de déclencher la conscience. Cela se fait par un moyen curieusement simple, en examinant vos mains ou une autre partie de votre corps (de rêve).

Des recherches sur le sommeil ont indiqué que l'élément le plus susceptible de se retrouver dans vos rêves est votre propre corps. Tout examen de ce corps a tendance à renforcer votre sens d'identité personnelle, puisque qu'il détourne votre attention des éléments astraux changeants qui constituent le reste de votre rêve. Un autre moyen efficace est de vous concentrer sur le sol sous vos pieds, un élément stable dans un environnement fluide.

Le problème de ces deux techniques est assez évident : la difficulté de se souvenir d'examiner ses mains ou le sol lorsque le rêve commence. Encore une fois, la détermination consciente avant de s'endormir aide, tout comme l'autosuggestion spécifique que, dans tous les rêves à partir de ce moment, vous examinerez vos mains ou le sol sous vos pieds. Encore une fois, vous avez une référence visuelle et l'autosuggestion peut donc se faire visuellement.

Je recommande fortement d'essayer ces approches pendant plusieurs semaines avant d'abandonner; mais si vous voyez que vous n'obtenez aucun résultat, vous serez peut-être prêt à essayer certaines approches plus complexes et plus difficiles, développées il y a plusieurs siècles au Tibet. Le résultat de ces méthodes, affirme W. Y. Evans-Wentz dans *le Yoga tibétain et les doctrines secrètes*, est que le *yogi* jouit d'une conscience aussi nette dans l'état de rêve qu'à l'état éveillé, ce que vous essayez de faire.

La première de ces méthodes, et probablement la moins utile, met en cause le développement de votre détermination à reconnaître l'irréalité ultime de toute chose. «En d'autres mots, cite Evans-Wentz, sous toute condition pendant le jour (ou à l'état éveillé), gardez à l'esprit le concept que tout est de la substance du rêve et que vous devez réaliser leur vraie nature.» Le soir, avant de vous endormir, priez pour que vous soyez capable de comprendre l'état de rêve et décidez que vous serez capable de le faire.

Le concept initial (que tout est un rêve) est plus lourd pour les gens de culture occidentale que pour les Tibétains dont la tradition bouddhiste remonte à des siècles et qui enseigne, comme objet central de foi, que tout est *maya* ou illusion. Mais elle peut avoir un attrait intellectuel ou émotif pour vous; dans ce cas, à la fois les prières nocturnes (à un *gourou*, selon les écrits tibétains, mais toute divinité peut aussi vous entendre) et la détermination de réussir agissent comme des autosuggestions puissantes.

La deuxième pratique est plutôt mécanique. Le texte insiste qu'elle s'appuie sur le «pouvoir de la respiration», même si, en fait, aucun contrôle de la respiration n'intervient. La traduction est peut-être erronée en parlant de «respiration» alors qu'il s'agit de «respiration universelle», ou ce que les Chinois appellent *ch'i*. *Ch'i* est une énergie subtile retrouvée, entre autres, dans le corps humain et pouvant être contrôlée par des techniques d'acuponcture, d'acupressure, et différentes formes de yoga et de système de forme physique comme le *Tai Ch'i*.

Les instructions pour stimuler la compréhension des rêves en contrôlant cette énergie sont assez simples :

1. Dormez sur le côté droit.

2. Utilisez le pouce et l'annulaire de votre main droite pour presser sur les artères de votre gorge. (Vous pouvez les identifier par le fait que vous y sentirez votre pouls.)

3. Bouchez les narines avec les doigts de la main gauche, ce qui vous force à respirer par la bouche.

4. Laissez la salive s'accumuler dans la gorge.

La dernière pratique tibétaine dont je veux parler est la plus complexe de toutes et, sous certains aspects, la plus intéressante. Soyez patient pour un moment, car je cite directement de la traduction d'Evans-Wentz :

> Imaginant que tu es toi-même la déité Vajra-Yogini, visualise dans le centre psychique de la gorge la syllabe *AH* de couleur

rouge et nettement radieuse, comme étant la personnification réelle de la Divine Parole.

En te concentrant sur l'irradiation de *AH* et en reconnaissant que toute chose phénoménale est dans son essence comme des formes reflétées dans un miroir qui, bien qu'apparentes, n'ont pas d'existence réelle en elles-mêmes, tu comprendras le rêve.

À la tombée de la nuit (essaie de) comprendre la nature de l'état de rêve par les moyens de la visualisation qui ont été décrits déjà. À l'aube, pratique sept fois la respiration en forme de cuve. Décide (ou essaie) onze fois de comprendre la nature de l'état de rêve. Puis, concentre l'esprit sur un point fait comme d'une substance osseuse, de couleur blanche, situé entre les sourcils.

Si l'on est d'un tempérament pléthorique, le point doit être visualisé comme étant de couleur rouge, si l'on est de tempérament nerveux le point doit être visualisé comme étant vert.

Si par ces moyens, la nature de l'état de rêve n'est pas comprise, alors procède comme suit :

À la tombée de la nuit médite sur le point. Au matin, pratique vingt et une respirations en forme de cuve. Fais vingt et une résolutions (ou efforts) pour comprendre la nature de l'état de rêve. Alors, en concentrant l'esprit sur un point noir de la taille d'une pilule et le situant à la base de l'organe de génération, tu seras capable de comprendre la nature de l'état de rêve.

À moins d'avoir déjà bénéficié d'un entraînement ésotérique, une bonne partie de tout cela aura probablement peu de sens pour vous. Mais, entre nous, nous pouvons réussir à en extraire une technique utile.

Le premier problème est la phrase «centre psychique de la gorge», qui réfère à quelque chose habituellement appelé *chakra*. Les *chakras* sont considérés comme des centres subtils de chaque corps humain, qui agissent comme des centres de transformation de la puissance universelle de *prana* ou *ch'i*. Nul besoin d'aller dans les explications compliquées, mais jetez un coup d'oeil au diagramme suivant :

Cinq des principaux chakras apparaissent ici comme des sphères lumineuses. Le deuxième à partir du haut est le «centre psychique de la gorge» mentionné dans le texte tibétain sur le yoga. D'après mon expérience, s'il est fortement stimulé, il en résulte une projection éthérée/astrale combinée. Une stimulation plus douce, comme vous l'avez lu dans le texte, est utile pour le contrôle des rêves.

Un des moyens simples, sûrs et efficaces de stimuler un chakra est la visualisation. Le texte demande de s'imaginer être la divinité Vajra-Yogini, une identification qui rehausserait certainement la confiance d'un Tibétain, mais qui n'a aucune signification pour les Occidentaux. C'est une instruction que vous pouvez ignorer sans danger, ainsi que la partie concernant la syllabe AH et «l'incarnation réelle de la Parole Divine». Ces associations plutôt religieuses sont sans signification pour les Occidentaux.

L'utilisation de la couleur rouge et la visualisation concentrée sur le centre de la gorge est autre chose. Avant de vous coucher, prenez 10 minutes pour visualiser une sphère lumineuse rouge sang dans votre gorge, sa douce lumière illuminant toute cette région de votre corps. N'y consacrez pas plus de 10 minutes car toute concentration sur un chakra unique (isolément) conduit à un flot d'énergie déséquilibré et cause des problèmes de santé si elle est trop prolongée. Pendant que vous visualisez, décidez que vous allez devenir conscient lorsque vous rêverez; et pensez à la structure réfléchie du plan astral exposée plus tôt dans ce livre.

Le rouge est une couleur énergisante et il y a de fortes chances que l'exercice qui précède soit tout ce dont vous aurez besoin pour obtenir des résultats. Mais si vous vous exercez assidûment pendant une période de 7 à 10 jours sans atteindre votre but, passez à la deuxième étape.

Le soir, avant de vous endormir, procédez exactement comme avant. Mais le lendemain matin, immédiatement après vous être réveillé (la référence à l'aube, vous en serez soulagé, peut être prise symboliquement), prenez les sept respirations «du ventre» dont il est fait référence dans le texte.

La plupart des gens respirent avec un mouvement de la poitrine et de la cage thoracique; observez votre respiration pendant un moment et notez ce qui arrive. La respiration du ventre se produit lorsque vous aspirez l'air dans votre ventre (il devient gonflé et rond). En utilisant l'abdomen, vous aspirez beaucoup plus d'air qu'à l'habitude. En expirant, rentrez le ventre pour qu'il devienne concave, un mouvement qui pousse tout l'air des poumons à l'extérieur. N'essayez pas de le faire plus de sept fois, surtout si vous n'êtes pas habitué aux exercices de respiration, sinon vous pourriez devenir étourdi.

Exécutez les 11 résolutions comme l'indique le texte, concentrez-vous ensuite sur le «point situé entre les deux sourcils». Il s'agit, bien sûr, de l'emplacement du célèbre troisième oeil, associé à la glande pinéale, et largement considéré par les occultistes comme le centre des pouvoirs psychiques. C'est aussi, même s'il n'est pas sur le diagramme, un chakra ou un centre d'énergie qui peut donc être stimulé par la visualisation. Lors de la première visualisation, vous devriez le voir comme une petite sphère blanche, de la couleur des os. Une fois établie dans l'oeil de votre esprit, imaginez-la devenir soit rouge, si vous êtes de nature calme, soit verte, si vous êtes nerveux.

Suivez ce programme pendant 10 jours avant de passer à l'étape finale si les résultats ne viennent pas. Les instructions de la troisième étape, en majeure partie, devraient être claires maintenant, puisqu'il s'agit pratiquement de la même chose. L'élément nouveau important est l'apparition du «point noir» à la base des organes génitaux.

Cette nouvelle visualisation stimule le *mudra chakra* qui se trouve entre la base du pénis et l'anus chez l'homme, et entre le derrière du vagin et l'anus chez la femme. C'est le déclencheur d'énergies très puissantes et il exige une manipulation très attentive. Ne visualisez pas ce chakra dans une autre couleur que le noir; et ne le visualisez pas plus gros que la pilule suggérée dans le texte. Une petite stimulation suffit pour avoir des résultats.

6

Les portes d'entrée de l'astral

Le rêve lucide vous familiarisera avec le plan astral, mais il n'y a aucun doute que l'environnement astral où vous vous trouverez sera votre propre création, c'est-à-dire qu'il aura tendance à refléter vos besoins, vos obsessions et vos désirs inconscients. La raison est que, peu importe la vitesse avec laquelle vous devenez conscient que vous rêvez, vous commencez *d'abord* à rêver, ce qui signifie que l'environnement est créé lorsque vous êtes inconscient. Une fois créé, il aura tendance à conserver sa forme pour le reste de cette aventure astrale. Il est toujours possible que des éléments que vous n'avez pas créés s'y introduisent, bien sûr, mais l'expérience en général vous en dira beaucoup plus sur vous-même que sur l'autre monde.

Vous savez déjà, à partir des sections théoriques de ce livre, qu'il y a de vastes régions *préformées* dans l'astral, des réflexions permanentes ou semi-permanentes de diverses énergies et influences. Ce serait évidemment très pratique de trouver des portes d'entrée dans ces domaines afin de pouvoir les visiter à notre gré, plus ou moins contaminés par l'influence vascillante de notre esprit inconscient. (Il faut ici apporter une précision. Il me semble que lorsque vous vous retrouvez dans une région du plan astral qu'on pourrait appeler vierge, comme on le fait dans les rêves, la seule influence sur les formes de la lumière astrale est votre esprit inconscient. Par conséquent, votre environnement reflétera automatiquement et continuellement vos préoccupations personnelles. Mais lorsque vous vous retrouvez dans une région qui reflète déjà un terrain physique ou une forme ancienne, il faut un effort conscient de votre part pour changer votre environnement de quelque façon que ce soit. Il faut parfois une concentration et une habileté considérables.)

Il existe en fait des portes d'entrée dans les régions astrales établies; les magiciens orientaux les utilisent depuis des siècles. Certaines d'entre elles furent importées en Angleterre pendant l'ère victorienne et les techniques associées à leur usage furent communiquées aux membres de l'ordre hermétique du Golden Dawn.

La notion de porte d'entrée dans une autre dimension a été rendue populaire par la science fiction, qui les décrit habituellement comme un portail miroitant, suspendu mystérieusement dans les airs, par où le héros passe, habituellement pour disparaître de la vue des mortels. Vous serez désappointé d'apprendre que les vraies portes d'entrée ne ressemblent pas du tout à cela, mais leur usage est tout aussi fascinant. À cet égard, il existe une histoire intéressante concernant une des premières rencontres entre le poète irlandais William Butler Yeats et le magicien S. L. MacGregor Mathers, qui était à l'époque le chef du Golden Dawn, nouvellement formé.

Yeats avait entendu parler de la visite de l'actrice Florence Farr chez Mathers, qui lui avait placé un carré de carton sur le front; cela déclencha instantanément une vision où elle se voyait marchant au haut d'une falaise avec des mouettes qui criaient au-dessus d'elle. Yeats reçut aussi un morceau de carton de Mathers et lorsqu'il le plaça sur son front, il se trouva pris dans une image mentale sur laquelle il n'avait aucun contrôle. Il était dans un désert avec un titan noir sortant de ruines anciennes.

Dans son autobiographie, Yeats explique que Mathers lui avait dit qu'il avait vu un être de «l'ordre des salamandes» parce qu'il lui avait montré leur symbole. Mais Mathers soutenait que le symbole physique (représenté sur la carte) n'était pas vraiment nécessaire; il aurait été suffisant de l'imaginer. Yeats était tout naturellement impressionné et il joignit l'ordre par la suite.

Le symbole montré à Florence Farr ressemblait presque certainement à ceci :

Celui qui avait été placé sur le front de Yeats était :

La couleur du symbole de Mme Farr était bleue. Celui de Yeats était rouge. Ils font partie d'une série de symboles connus sous le nom de symbole *tattwa*, développés par les philosophes hindous à partir des anciens éléments alchimiques de la terre, de l'air, du feu, de l'eau et de l'éther, et qui sont utilisés à l'intérieur du Golden Dawn d'une manière très spéciale.

Les symboles tattwa, s'ils sont placés sur le front, déclencheront fréquemment le genre de vision que Farr et Yeats ont connu. Mais manipulés un peu différemment, ils deviennent une aide importante pour la projection astrale. Et comme ils dirigent le projecteur *directement* dans une région précise du plan astral, ils sont considérés à juste titre comme des portes d'entrée dans le plan astral.

Les principaux symboles tattwa ressemblent à ceci :

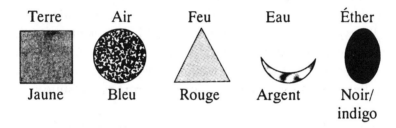

Chacun donne accès à un endroit précis du plan astral, mais on peut construire plusieurs autres portes d'entrée en utilisant des symboles *composés*, en superposant, par exemple, le croissant argent de l'Eau et le carré jaune de la Terre, ou le triangle rouge du Feu et le disque bleu de l'Air. Les expériences avec des portes d'entrée composées peuvent donner des résultats intrigants et vous voudrez peut-être les essayer plus tard, mais, pour l'instant, je vous propose de vous en tenir au cinq portes d'entrée des éléments principaux car elles sont plus faciles pour les débutants. La technique à utiliser avec les portes d'entrée composées est exactement la même que celle que je vais donner pour les autres.

Dans le Golden Dawn, on utilisait les tattwas comme base des premières expériences de l'ordre en clairvoyance et en projection. La théorie de leur usage était assez complexe.

J'ai déjà mentionné l'énergie universelle *ch'i*, habituellement appelée *prana* dans les écoles de yoga indien. Cette énergie, associée à l'air, mais distincte de celui-ci, est considérée comme provenant d'un rayon continu du soleil, même s'il ne s'agit pas d'une des radiations que les scientifiques peuvent mesurer. Cette radiation a un aspect quintuple, auquel les Hindous réfèrent comme *akasa* (éther ou esprit), *vayu* (air), *tejas* (feu), *apas* (eau) et *prithivi* (terre).

La traduction a peu de rapport avec le genre d'air, de feu, d'eau, etc. que vous connaissez, mais réfère plutôt aux éléments alchimiques de ces noms. Les alchimistes ont essayé de distinguer ces éléments de leur contrepartie terrestre en utilisant des phrases comme l'*air du sage,* le *feu du sage* et ainsi de suite, mais cela n'a pas réglé la confusion. Le problème venait plutôt de ce que, pendant que les alchimistes passaient leur temps enfermés dans des laboratoires, mélangeant des réactifs chimiques, leur vrai travail – bien dissimulé dans la masse consternante de leur verbiage (parfois codé) dont est composé le gros de la littérature alchimiste – concernait la substance de base du plan astral.

Pour comprendre ce que cela signifie, il faut faire une brève parenthèse dans le monde de la cabale, cette ancienne doctrine qui est à la base d'une bonne partie de l'occultisme moderne. Au centre de la cabale se trouvait un glyphe, que nous examinerons plus en détail dans un autre chapitre, appelé l'*Arbre de vie*. D'un point de vue, ce glyphe se veut être une sorte de carte de la réalité, montrant sa structure ultime alors qu'elle émerge de l'infini. Le glyphe comprend 10 sphères, dont la plus basse, appelée *Malkuth*, représente l'univers physique. Juste au-dessus du Malkuth se trouve une sphère appelée *Yesod*, qui représente le plan astral. Yesod ne signifie pas «plan astral», mais bien *Fondation*. Parce que les cabalistes, et la plupart des autres occultistes, croient que le plan astral est la fondation de la matière physique.

Étant donné la facilité avec laquelle la lumière astrale est influencée, cela semble improbable en surface, mais la notion que l'astral est à la base du physique se rencontre à la racine de la plupart des coutumes magiques occidentales. Tous les rituels et la plupart des formules magiques ont un aspect interne astral; et les stress que ces opérations provoquent dans l'astral se matérialisent par la suite pour produire les résultats «magiques» au niveau physique.

Les expériences alchimiques étaient (et sont) inhabituelles car elles cherchent à manipuler et à comprendre deux niveaux simultanément. La catégorisation de la matière physique en cinq éléments démontre rapidement la limitation qui a conduit les scientifiques à réduire l'alchimie à une «proto-chimie». Alors que l'art de l'alchimie a donné naissance à la science de la chimie, l'exclusion indique un manque de compréhension. L'alchimie n'a rien de primitif, mais elle possède son propre système dans lequel la subdivision des éléments semble être valable pour la «matière-esprit» de la lumière astrale.

La force des éléments n'est pas constante dans la lumière astrale, mais suit un rythme solaire. Akasa, l'éther ou l'esprit, est plus fort à l'aube lorsque le soleil se lève et maintient son pouvoir pendant deux heures après quoi il se fond dans le *Vayu* dominant ou l'air. Cela continue pendant deux heures avant de fondre dans le *Tejas*, le feu, qui a son tour se fond dans l'*Apas*, l'eau, et le cycle se termine avec le *Prithivi*, la terre.

Ce rythme du *Prana* ou *ch'i* universel est reflété dans le flot rythmé du *ch'i* personnel dans les méridiens du corps humain de l'acuponcture, qui suit aussi un rythme diurne et possède sa propre «Loi des cinq éléments».

Aucun élément ne *remplace* un autre élément dans ce cycle universel, car le *ch'i* est un mélange des cinq. Ce que le cycle signifie est la dominance d'un élément particulier à un certain moment.

Comment tout cela se manifeste dans le plan astral est une question d'expérience. Afin d'acquérir cette expérience, la première chose à faire est de vous fabriquer un jeu de cartes tattwas. Utilisez des carrés de carton blanc suffisamment larges pour y inscrire un symbole de cinq à sept cm de haut. Si vous décidez de fabriquer des cartes composées, cette dimension réfère au symbole *primaire*. Le symbole secondaire, qui est superposé, peut, et devrait, être un peu plus petit.

Laissez le dos de la carte blanc. Le diagramme de la page 164 vous montre les cinq symboles primaires et la couleur associée à chacun d'eux. (Le symbole de l'éther doit être indigo ou noir, mais pas les deux. Et, si cela peut vous aider, j'ai toujours trouvé que l'indigo fonctionnait un peu mieux.) Dans chaque cas, la couleur doit être aussi prononcée et aussi brillante que possible. L'aquarelle est pratiquement inutile pour ces cartes. L'huile est un peu mieux. L'acrylique offre la profondeur et la brillance dont vous avez besoin; ou vous pouvez suivre le conseil des textes originaux du Golden Dawn, qui suggèrent de couper et de coller des papiers de couleur. L'aluminium donne sans aucun doute un meilleur croissant argent que même la peinture métallique.

Les cartes composées doivent être fabriquées en superposant une version plus petite du symbole secondaire sur le symbole primaire. Comme exemple concret, la carte tattwa signifiant le Feu de la Terre montrerait le symbole primaire de la terre avec un carré jaune de 6,4 cm de côté, tandis que le triangle équilatéral rouge aurait des côtés d'environ 1,2 cm. D'autres cartes composées peuvent être fabriquées en gardant ces proportions en tête. Mais ce qui est plaisant à regarder devrait avoir priorité sur une tentative désespérée pour imiter les proportions exactes. La clarté et la pureté des couleurs sont plus importantes, et celles-ci devraient être le plus près possible des couleurs primaires.

Les directives du Golden Dawn suggèrent d'écrire les noms divins et angéliques appropriés au dos de la carte, mais il s'agit simplement d'un aide-mémoire et il y a une bonne raison de laisser le dos de la carte vierge.

Lorsque vous êtes satisfait des symboles que vous avez créés, couvrez-les d'une pellicule transparente ou, mieux encore, d'une couche de vernis transparent luisant qui rehausse la couleur et protège les symboles.

Il existe deux façons d'utiliser les cartes; vous en connaissez déjà une (la tenir sur votre front). Cette méthode, selon mon expérience, déclenche des visions subjectives, dans le sens que vous les percevrez comme des exercices d'imagination visuelle. Mais, comme nous l'avons déjà vu, même la subjectivité est relative et ce genre de symbole et de manipulation est un excellent moyen d'entraîner votre imagination à devenir un périscope qui vous permettra de *regarder* dans les niveaux astraux, même si vous ne voyagez pas vraiment.

Le talent n'est pas du tout un hasard. Le développer fut l'une des principales raisons qui m'ont forcé à admettre que le plan astral était essentiellement objectif. Lorsque vous devenez habitué à observer le plan astral de cette façon, il est tout à fait possible d'observer le comportement d'autres voyageurs et de comparer les notes par la suite afin d'établir la justesse de votre vision.

Au début, il n'y a rien à distinguer entre cette forme de projection et l'imagination normale; en fait, j'ai cru pendant longtemps que l'habileté n'était rien de plus que la découverte que l'imagination pouvait regarder dans le plan astral. Mais vous remarquerez finalement une différence subtile. Il est beaucoup plus facile de l'expérimenter que de le décrire, mais, en gros, la vision astrale semble avoir une plus grande stabilité. Jusqu'à ce que vous appreniez à sentir la vision astrale, la meilleure façon de les différencier est de pratiquer avec un partenaire qui s'est familiarisé avec les portes d'entrée et de comparer vos notes.

L'usage de vos cartes pour déclencher une projection est un peu plus compliqué. Une série d'instructions du Golden Dawn suggère une méditation préliminaire sur l'élément que vous comptez utiliser, vous saturant de cet élément jusqu'à ce que, dans le cas du feu, vous ayez chaud ou, dans le cas de l'eau, vous vous sentiez mouillé, etc. Ce n'est pas une mauvaise idée si votre but principal est simplement de trouver le chemin le plus efficace vers la porte d'entrée. Mais si vous tentez une expérience, il vaut probablement mieux laisser tomber la méditation préliminaire puisqu'elle agit évidemment comme une autosuggestion puissante, rendant ainsi vos résultats plus confus.

Une séquence d'utilisation de porte d'entrée se déroule comme suit :

Installez-vous sur une chaise confortable, dans une pièce tranquille. Choisissez la carte du symbole, relaxez-vous le plus possible. Fixez avec attention le symbole coloré pendant environ 30 secondes, puis tournez la carte et fixez le dos blanc. Un réflexe optique provoquera l'apparition du symbole que vous avez étudié sur la carte. Le processus est automatique, vous n'avez pas à faire d'effort; attendez simplement une ou deux secondes.

Le symbole lui-même sera clairement défini, mais dans la couleur directement complémentaire de l'original et curieusement phosphorescent. Par exemple, le carré jaune de la terre apparaîtrait en lavande ou mauve, selon la teinte de jaune utilisée. (Incidemment, il n'est pas nécessaire d'utiliser le dos de la carte. Une feuille de papier blanc fera aussi l'affaire, tout comme un mur vierge ou le plafond. Mais le dos de la carte est très pratique et, si vous décidez d'utiliser quelque chose d'autre, assurez-vous que la surface soit blanche et non crème ou d'une autre couleur, sinon les teintes seront légèrement différentes.)

Une fois que vous avez vu le symbole dans la couleur complémentaire, fermez les yeux et intériorisez-le. Essayez de visualiser ce que vous venez de voir. La visualisation fonctionne mieux si vous vous imaginez en train de *dessiner* le symbole lumineux jusqu'à ce qu'il soit établi dans votre tête. À ce stade, vous devriez agrandir le symbole mentalement jusqu'à ce qu'il soit suffisamment grand pour que vous y passiez. Ensuite, imaginez-vous passant au travers du symbole comme si vous passiez dans une porte d'entrée.

L'habileté des gens varie considérablement pour accomplir cette étape, mais je n'ai jamais rencontré personne qui n'y soit pas arrivé avec de la pratique.

Dans le Golden Dawn, les étudiants sont encouragés à utiliser le signe de l'entrée, un «tâtonnement vers la lumière» que j'ai fait l'erreur de comparer au salut du bras droit nazi dans *Astral Doorways*. En fait, ce signe utilise les deux mains et a une influence projective. Vous devez faire un pas court en glissant vers l'avant, en levant simultanément les deux bras au-dessus de la tête, en les allongeant ensuite à l'horizontale, paumes vers le bas, à la hauteur des yeux. Ajuster la tête pour que les yeux regardent directement entre vos deux pouces.

Si vous réussissez à le faire, on vous dit de vous levez, tout en continuant à visualiser le symbole agrandi, de faire le signe physique et d'imaginer en même temps que vous avancez, puis de reprendre votre place et de continuer la vision.

Une fois que vous avez atteint ce stade, vous devriez imaginer la porte *derrière* vous, lumineuse, suspendue dans les airs comme dans les scènes de science fiction dont j'ai parlées. Puis, regardez autour de vous et notez votre environnement. À ce moment, si vous étiez un membre du Golden Dawn, on vous demanderait de faire vibrer les noms divins associés à l'élément que vous avez choisi.

Cela est difficile pour quelqu'un qui n'a pas été entraîné dans la cabale. Brièvement, certaines entités, des divinités aux plus élémentaires, sont considérées associées avec les divers endroits astraux. D'un point de vue, l'utilisation de leur nom est similaire aux supplications ou aux prières religieuses : un appel à l'aide dans votre effort. D'un autre point de vue, l'utilisation de leur nom est une courtoisie, une salutation aux habitants plus importants du pays où vous vous apprêtez à entrer.

Mais il faut que les noms vibrent, c'est-à-dire qu'ils soient prononcés d'une certaine façon, ce qui laisse entendre qu'ils sont peut-être plus un mot de passe, ou plus juste encore, une manipulation directe de l'essence du plan dans son aspect élémentaire particulier. Ils ont pour effet de rendre l'expérience plus nette et (selon la théorie du Golden Dawn) plus sûre. L'utilisation des noms est une décision personnelle; il est certainement possible d'effectuer une projection élémentaire sans eux. Si vous décidez de les utiliser, je recommande un peu de pratique avec les vibrations.

La vibration magique d'un nom est une technique où le nom est à moitié chanté dans la gorge de façon qu'il y ait un bourdonnement, créant ainsi une vibration réelle et physique qui peut être clairement ressentie par vous-même et par quiconque se trouve près de vous. La vibration est un art. Avec la pratique, vous pouvez la déclencher presque n'importe où dans votre corps ou à l'extérieur, comme un ventriloque projette sa voix. Dans le contexte de l'exercice actuel cependant, il vous suffit de pratiquer jusqu'à ce que vous ayez atteint la prononciation vibrante des noms.

Les noms sont hébreux et sont donnés phonétiquement dans la liste ci-dessous. La prononciation magique est quelque peu différente de l'usage normal, il vaut donc mieux se fier à la prononciation donnée. On doit faire vibrer tous les noms lentement et de façon audible.

La séquence recommandée est 1) Nom divin, trois ou quatre fois; 2) Nom archangélique; 3) Nom angélique; 4) Nom de l'élément; 5) Nom du cardinal. La liste complète est la suivante :

Terre

Nom divin : *Ah-doh-nay hah-Ahr-retz*
Nom archangélique : *Or-iii-ell*
Nom angélique : *Foor-lack*
Nom de l'élément : *Oh-faeur*
Nom du cardinal : *Zah-fawn*

Air

Nom divin : *Shah-day ell chay*
Nom archangélique : *Rah-fai-ell*
Nom angélique : *Cha-san*
Nom de l'élément : *Rue-ach*
Nom du cardinal : *Miz-rack*

Eau

Nom divin : *Aye-low-eem Zah-bah-oth*
Nom archangélique : *Gah-brah-ell*
Nom angélique : *Tah-lii-ah-had*
Nom de l'élément : *Maim*
Nom du cardinal : *Mah-rab*

Feu

Nom divin : *Yod-heh-vav-heh Zah-bah-oth*
Nom archangélique : *Mi-kay-ell*
Nom angélique : *Ah-ral*
Nom de l'élément : *Ash*
Nom du cardinal : *Dah-rom*

Une fois que vous avez utilisé ces noms, les enseignements du Golden Dawn suggèrent :

> On peut maintenant percevoir plusieurs changements dans le paysage; il deviendra en vie, vivifié et dynamique et le sens de l'élément devrait être défini de plus en plus clairement et nettement.

Aussi, un être peut apparaître, dont les caractéristiques se rapportent à l'élément et dont les vêtements, leurs couleurs, et ses autres ornements devraient être de couleurs appropriées.

Dans aucune circonstance le voyant ne devrait s'éloigner de sa porte seul; il devrait toujours attendre qu'apparaisse un de ces êtres élémentaux ou «guides» et il devrait continuer à faire vibrer les noms jusqu'à ce qu'il en survienne un, ou jusqu'à ce qu'il sente qu'il y en ait un de présent.

Quelquefois, avec certains élèves, il n'y a pas de vision claire de ces êtres ou apparitions, mais seulement une intuition ou un instinct puissant que telle ou telle chose se produit et qu'un tel genre d'être est apparu. Cela est souvent plus fiable que la vue ou tout autre sens.

Aussi étrange que cela puisse paraître, mon expérience me dicte que tous ces conseils sont bons, même si je dois admettre avoir fait quelques voyages tranquilles sans l'aide d'un guide. Si, lorsque vous connaîtrez le plan astral, vous décidez d'y aller seul, n'oubliez pas de prendre note de votre chemin puisque vous voudrez évidemment revenir à la porte pour revenir dans le monde physique.

Les magiciens du Golden Dawn, qui sont des individus extrêmement prudents, voudraient normalement tester un guide qui apparaîtrait en faisant le signe approprié de l'élément visité. (Pour la terre, c'est le signe du Zelator, lequel *est* réellement identique au salut nazi.) Ils décideraient alors de sa bonne foi selon le signe qu'il renvoit. Je suis moi-même très prudent, mais l'échange de signes n'a aucune signification pour ceux qui ne font pas partie de l'ordre magique; et même à l'intérieur de l'ordre, les signes doivent être reliés à l'entraînement de chacun. Par conséquent, en l'absence d'entraînement officiel, je peux seulement suggérer de juger les guides astraux exactement de la même façon que vous jugez vos connaissances dans le plan physique : par l'apparence et les actions. Nul besoin de devenir paranoïaque : le plan astral n'est pas plus dangereux que le plan physique, malgré une tendance certaine à attirer des entités qui se rapprochent des caractéristiques de votre personnalité.

7

Le I Ching astral

Alors que je me rendais au travail un matin, il y a plusieurs années, et que la circulation était très lourde, je vis un camion qui s'approchait tourner brusquement du mauvais côté de la route. Il y eut un bruit de collision quelque part en avant et la circulation s'arrêta tout d'un coup. Je sortis de ma voiture et courus pour découvrir que le camion avait frappé une petite voiture, dont le chauffeur, une femme enceinte, et sa compagne, étaient sous le choc, mais n'étaient pas blessées. Je me dirigeai vers le chauffeur du camion, qui était penché sur son volant, et lui demandai s'il était blessé. Il avait lui aussi l'air d'être sous le choc et me dit vaguement qu'il s'était foulé le poignet. À ce moment, il me sembla que l'accident n'était pas très sérieux puisque personne n'était blessé et les véhicules peu endommagés. Je passai alors devant le camion et découvris une autre petite voiture. Deux des occupants étaient déjà morts. Le troisième mourut dans l'ambulance qui le conduisait à l'hôpital.

Je me sens obligé de vous raconter cette histoire d'horreur à cause de ce qui était arrivé plus tôt ce matin-là. Avant de partir pour travailler, je consultai un oracle et lui demandai de me donner une indication des influences de la journée à venir. L'oracle répondit : *Il verra un wagon plein de cadavres.*

Si c'était une coïncidence, c'en était une qui s'était produite beaucoup trop de fois dans le passé et qui allait de reproduire beaucoup trop souvent dans le futur. Chaque matin pendant plus de deux ans, je consultais l'oracle en lui posant toujours la même question : *Quelles sont les influences de la journée à venir?* Chaque soir, je repensais à la journée et essayais de déterminer jusqu'à quel point les déclarations que j'avais reçues s'étaient réalisées. À maintes reprises, je découvris qu'elles correspondaient étrangement bien, surtout une fois que la pratique régulière me permit de déterminer exactement ce que les déclarations les plus vagues voulaient vraiment dire.

Je ne suis pas le seul à avoir été impressionné. Le psychiatre Carl Jung expérimenta le même oracle et décida que s'il avait été humain, il aurait été forcé, sur la base des réponses qu'il reçut, de le déclarer sain d'esprit. L'oracle qu'il utilisa était le *I Ching* chinois, reconnu comme le plus vieux livre du monde... et peut-être le plus sage.

Le principe du *I Ching*, la subdivision des phénomènes en forces négatives et positives appelées *yin* et *yang*, est un aspect de la pensée chinoise datant d'aussi loin qu'on puisse remonter dans la préhistoire. Techniquement, l'oracle prétend lire l'état actuel des *yin* et *yang* à travers le développement de figures à six lignes connues sous le nom d'*hexagrammes.* Les hexagrammes ont une longue histoire, voire un peu louche. On dit qu'ils proviennent d'une ancienne forme de pratique pour dire la bonne aventure, où les carapaces de tortues étaient chauffées jusqu'à ce qu'elles craquent et les dessins étaient interprétés par des experts. Avec le temps, insistent nos experts historiens, les craques devinrent

Les hexagrammes du I Ching

Le créateur

Le réceptif

La difficulté du début

La folie juvénile

L'attente du nourrissement

Le conflit

L'armée

La solidarité, l'union

Le pouvoir d'apprivoise- ment du petit

La marche

La paix

La stagnation, l'immobilité

La communauté avec les hommes

Le grand avoir

L'humilité

L'enthousiasme

La suite

Le travail sur ce qui est corrompu

L'approche

La contemplation

La morsure au travers

La grâce

L'éclatement

Le retour (le tournant)

L'innocence (l'inattendu)

Le pouvoir d'apprivoise- ment du grand

L'administration du nourris- sement

La prépondérance du grand

L'insondable de l'eau

Le feu qui attache

L'influence

La durée

La retraite

La puissance du grand

Le progrès

L'obscurcis- sement de la lumière

La famille (le clan)

L'opposition

L'obstacle

La libération

La diminution

L'augmentation

La percée (la résolution)

La rencontre

Le rassemblement (le recueille- ment)

La poussée vers le haut

L'accablement (l'épuisement)

Le puits

La révolution (la mue)

Le chaudron

L'éveil (l'ébranlement, le tonnerre)

L'immobilisation, la montagne

Le développe- ment (le progrès graduel)

L'épousée

L'abondance, la plénitude

Le voyageur

Le doux (le pénétrant, le vent)

Le serein, le joyeux, le lac

La dissolution (la dispersion)

La limitation

La vérité intérieure

La prépondérance du petit

Après l'accomplis- sement

Avant l'accomplis- sement

stylisées en figures à trois lignes [des trigrammes montrant des lignes brisées (yin) et non brisées (yang)].

À un moment donné, avant 1150 av. J.-C., un noble nommé Wen prouva que la vertu n'était pas récompensée en se comportant de manière tellement droite, honorable et décente que l'empereur le fit jeter en prison. L'empereur croyait (avec raison) que la popularité de Wen surpassait la sienne.

N'ayant rien d'autre à faire de ses journées, Wen se tourna vers des activités intellectuelles et commença à donner des sens définitifs aux trigrammes qui étaient déjà utilisés pour dire la bonne aventure. Il les combina en hexagrammes à six lignes, ajoutant à chacun un court commentaire, appelé un Jugement.

L'empereur finit par le libérer et Wen montra sa gratitude en amorçant une révolte qui renversa la dynastie. Wen mourut avant de s'emparer du trône, mais les érudits lui donnèrent le titre posthume de roi. Le fils de Wen, le duc de Chou, consolida la victoire et termina le travail de son père, en ajoutant ses propres commentaires aux lignes individuelles. Le travail complété fut connu sous le nom de *Mutations de Chou (Chou I)* ou, plus simplement, *le Livre des transformations* (la traduction littérale de I Ching). À ce moment, il avait complètement surpassé les anciens rudiments de la bonne aventure et devint un sujet profond de philosophie, se faisant passer pour un système de divination. Plus tard, Confucius, qui était déjà vieux lorsqu'il découvrit le I Ching, ajouta d'autres commentaires et explications.

Il y a 64 hexagrammes dans le I Ching, montrés à la page 177 avec leur nom. Non seulement on peut interpréter chaque hexagramme, mais chaque *ligne* de chaque hexagramme peut l'être aussi. Cependant, les lignes sont interprétées seulement lorsqu'on croit qu'elles contiennent une telle tension qu'elles sont sur le point de se changer en leur opposé. Une fois qu'elles le font, elles produisent un nouvel hexagramme qui est interprété dans le contexte de l'original.

Cela peut sembler compliqué si le système ne vous est pas familier, mais cela signifie que l'oracle est en mesure de donner quatre milles réponses sans se répéter. Vous pouvez avoir une idée du genre de réponse avec cet exemple.

Ting/Le chaudron
En haut Li, ce qui s'attache, le feu
En bas Souen, le doux, le vent, le bois

Le jugement
Le chaudron. Très grande chance.
Succès.

L'image
Le feu sur le bois.
Les images du chaudron.
L'être supérieur consolide sa foi avec des actions justes.

Les traits
Six au commencement signifie :
Un *ting* avec les pieds renversés.
Enlèvement additionnel de matière stagnante.
Elle prend un concubin pour l'amour de son fils.
Pas de blâme.

Neuf en deuxième place signifie :
Il y a de la nourriture dans le *ting*.
Mes camarades sont envieux.
Mais ils ne peuvent me faire du mal.
Bonne chance.

Neuf en troisième place signifie :
La poignée du *ting* est changée.
Il est gêné dans sa façon de vivre.
Le gras du faisan n'est pas mangé.
Une fois la pluie tombée, le remord est fini.
La chance vient en fin de compte.

Neuf en quatrième place signifie :
Les pieds du *ting* sont brisés.
Le repas du prince est renversé.
Et sa personne est salie.
Malchance.

Six en cinquième place signifie :
Le *ting* a des poignées jaunes, des anneaux d'or.
Plus grande persévérance.

Neuf en haut signifie :
Le *ting* a des anneaux de jade.
Grande chance.
Rien ne sera pas favorable.

Ce n'est pas la réponse la plus accessible. Mais en la citant (du livre de Baynes publié par Routledge & Kegan Paul), j'ai décidé de ne pas vous mêler avec les longs commentaires, ce qui la rend plus facile à comprendre.

Les curieuses phrases dans la section *Lignes* – «Six au début...», «Neuf en deuxième...» et ainsi de suite – réfèrent à la façon dont l'hexagramme est construit pendant la consultation. Cela peut se faire très facilement à l'aide de trois pièces de monnaie. Vous pouvez toujours construire des reproductions des anciennes pièces de monnaie chinoises (avec un trou au centre), utilisées traditionnellement pour consulter le *I Ching*, mais les pièces de monnaie modernes fonctionnent parfaitement bien. Décidez des faces, si ce n'est pas évident, lancez les simultanément et notez comment elles retombent.

Le côté face de chaque pièce compte pour un *yin* avec une valeur de 2. Le côté pile est un *yang* et a une valeur de 3. Les valeurs produites pour chaque lancement des pièces sont les suivantes :

Trois faces (*yin* + *yin* + *yin*) = 6
Trois piles (*yang* + *yang* + *yang*) = 9
Deux faces, un pile (*yin* + *yin* + *yang*) = 7
Deux piles, une face (*yang* + *yang* + *yin*) = 8

Le premier lancement de pièces vous donne la ligne du bas de l'hexagramme. Si vous obtenez un 8 (deux piles et une face), la ligne s'appelle un *jeune yin* et est dessinée ainsi :

— —

Si vous obtenez un 7 (deux faces et une pile), la ligne est un *jeune yang* et est dessinée ainsi :

———

Si vous obtenez un 9 (trois piles), la ligne est un *vieux yang* et est dessinée ainsi :

——o——

Si vous obtenez un 6 (trois faces), la ligne devient un *vieux yin* et ressemble à :

——x——

Lancez les pièces de monnaie à nouveau pour obtenir la deuxième ligne de votre hexagramme – les hexagrammes sont toujours construits du bas vers le haut – et continuez pour avoir un total de six lignes et une figure complète. Les *vieux yin* et les *vieux yang* sont les lignes qui ont, comme je l'ai mentionné plus tôt, la propriété de se renverser (*yin* en *yang*, *yang* en *yin*). Si vous en avez dans votre hexagramme, renversez-les et dessinez une deuxième figure à côté de la première. Si, par exemple, votre figure ressemble à ceci...

... elle deviendrait l'hexagramme suivant...

... et vous écririez le tout comme ceci :

Six en haut

Six en troisième   Deviennent :

Neuf en premier

Si vous n'avez pas déjà une copie du *I Ching*, cela peut sembler beaucoup de travail sans but précis puisque vous ne pouvez pas poser une question à l'oracle et obtenir une réponse. Mais, en fait, ce n'est pas tout à fait vrai, car les réponses adéquates *sont* possibles sans avoir recours aux interprétations traditionnelles. Cela provient du fait, insoupçonné de la majorité de ses utilisateurs, que le *I Ching* est une machine astrale. L'oracle a deux aspects astraux, dont le premier survient pendant la consultation rituelle.

Les consultations rituelles du *I Ching* sont très complexes. Pour ce faire, il vous faudra trois pièces de monnaie, une boîte pour les mettre à l'intérieur, un morceau de soie, un morceau de tissu noir divin, de l'encens, du papier et un crayon, un bol d'eau et une serviette. Normalement, vous auriez aussi besoin d'une copie du *I Ching*, mais puisque que, dans ce cas-ci, vous vous rapprochez d'une opération astrale, vous pouvez utiliser une copie des hexagrammes et de leur nom de la page 177. Dessinez-les soigneusement et inscrivez leur nom à côté, sur du papier de qualité ou du carton.

La copie du *I Ching* ou des hexagrammes devrait être enveloppée dans le linge de soie et remisée sur une tablette plus élevée que les épaules jusqu'à ce que vous commenciez votre consultation rituelle. Ils sont les «points terrestres» de certaines activités qui se déroulent sur le plan astral.

Avant de commencer, polissez les trois pièces de monnaie pour qu'elles deviennent brillantes et reluisantes, puis faites-les bouillir dans l'eau salée pour les débarrasser de toutes traces d'énergie subtile. Gardez-les dans une boîte spéciale que vous avez achetée ou fabriquée dans ce but. Cette boîte, de même que tout ce qui est associé au rituel, ne doit pas être utilisée pour d'autres fins; aucun article, surtout les pièces, ne devrait être manipulé par quelqu'un d'autre que vous.

Commencez le rituel dans une pièce tranquille où vous ne serez pas dérangé. Assoyez-vous ou agenouillez-vous en faisant face au sud (si vous êtes dans l'hémisphère nord, sinon faites face au nord) et étendez votre linge noir de divination sur la table ou sur le plancher en face de vous. Prenez le temps de vous relaxer jusqu'à ce que vous soyez parfaitement calme. Lavez-vous les mains avec l'eau du bol et essuyez-les avec la serviette. Maintenant, commencez à visualiser une silhouette de l'autre côté du livre.

La silhouette devrait être imaginée comme un mâle chinois mince, portant une robe, très vieux avec une petite barbe blanche. Il est un peu plus grand que la moyenne, porte des vêtements blancs et tient un manuscrit roulé dans une main.

La technique de visualisation est très semblable à la technique du corps de lumière que vous avez pratiquée, sauf que vous ne créez pas, bien sûr, un véhicule de projection. En fait, la silhouette que vous établissez est une enveloppe astrale appropriée à l'esprit du *I Ching*. Cet esprit existe réellement, habitant un niveau au-dessus du plan astral. Il est relié aux hexagrammes d'une manière que je ne prétends pas comprendre. Ce lien signifie, en partie, que si vous créez un véhicule astral adéquat – c'est-à-dire si vous visualisez correctement la silhouette – l'esprit viendra pour ainsi dire l'animer.

Avec de la pratique, la visualisation produira quelque chose de similaire au *tulpa* de Mme David-Neel, sauf que dans les circonstances clairement définies du rituel, il y a peu de possibilité qu'il change de nature ou se mette à errer. Mais il sera, dès le début si vous faites un bon travail, tout à fait indépendant de votre esprit, même lorsque la visualisation est encore interne. Vous trouverez peut-être cela étrange au début, mais le processus ressemble à celui du personnage fictif qui se détache de son auteur.

Une fois le sage chinois établi, vous devriez vous prosterner trois fois devant lui, en vous frappant le front sur le plancher ou sur la table devant vous. Même s'il s'agit simplement d'une marque de respect, vous pouvez trouver cela, en tant qu'Occidental, avilissant; dans ce cas, vous devriez y substituer une autre marque de respect que vous jugez plus appropriée.

Avec la silhouette astrale en place, formulez votre question tout haut, puis écrivez-la pour la rendre «terrestre». Prenez vos trois pièces de monnaie dans la boîte spéciale, allumez l'encens et passez les pièces trois fois dans la fumée dans le sens des aiguilles d'une montre. Une fois cela fait, brassez-les dans vos mains en forme de coupe en vous concentrant sur la question, puis lancez-les sur votre linge de divination afin de construire votre hexagramme de la façon qu'il a été expliqué précédemment.

Dessinez votre hexagramme sur une feuille de papier séparée, une ligne à la fois. Si la figure complétée contient des *vieux yin* ou des *vieux yang*, changez-les pour leur opposé et dessinez un deuxième hexagramme à côté du premier. Vérifiez le titre de l'hexagramme à la page 177 et inscrivez-le.

À ce stade, si vous travaillez avec le texte complet du *I Ching*, vous pouvez consulter les interprétations de Wen/Chou/Confucius. Sinon, ou si vous ne comprenez pas les interprétations, vous pouvez consulter directement l'esprit du *I Ching*. Demandez simplement à la silhouette astrale de vous expliquer la signification de votre réponse et écoutez (mentalement) sa réponse. Finalement, il vaut toujours mieux écrire l'explication.

Consulter le *I Ching* de cette façon est une opération de magie astrale qui, si vous avez du talent, donne beaucoup plus de détails et des résultats beaucoup plus intéressants que l'approche plus traditionnelle. Mais ce n'est pas la seule opération astrale que vous pouvez effectuer avec le *I Ching*. On peut aussi utiliser les hexagrammes comme des portes d'entrée dans l'astral.

La technique utilisée ressemble un peu à celle qui est employée pour ouvrir les portes *tattwas*, mais elle n'implique ni réflexe optique ni couleur complémentaire. Lorsque vous êtes confortablement assis et tout à fait relaxé dans un endroit où vous ne serez pas dérangé, visualisez l'hexagramme de votre choix sur une solide porte en bois fermée. Travaillez jusqu'à ce que vous voyiez clairement l'hexagramme dans votre esprit, continuez à observer la porte et attendez. Après un certain temps, la porte s'ouvrira de son propre gré, et vous devriez alors vous imaginer vous levant et passant la porte. Une fois passé, vous devriez prendre soin d'imaginer la porte *derrière* vous, exactement comme vous l'avez fait avec les *tattwas*. Et ici aussi, vous devriez prendre note soigneusement de votre chemin dans l'environnement astral afin de pouvoir retrouver votre chemin lorsque vous voudrez revenir.

Rien ne vous empêche de choisir un hexagramme au hasard dans le but de pratiquer ce genre de projection, mais vous trouverez l'expérience beaucoup plus satisfaisante – et potentiellement plus utile – si vous faites d'abord une consultation rituelle complète de l'oracle comme je l'ai expliquée précédemment.

Dans ce cas, une fois que vous avez dessiné votre hexagramme, visualisez-le sur la porte. Vous verrez le sage chinois ouvrir la porte et vous accompagner souvent en la passant. La réponse à votre question sera contenue dans vos expériences une fois que vous aurez traversé la porte. S'il y avait des lignes changeantes dans votre hexagramme, il est possible de visualiser l'hexagramme original et le deuxième côte à côte sur la porte, ou vous pouvez faire deux voyages astraux consécutifs en utilisant respectivement le premier et le deuxième hexagramme.

8

L'arbre cabalistique

À 8 h 20 le dimanche 1ᵉʳ juin 1930, Violet Firth s'assoyait pour commencer une expérience occulte fascinante. Mieux connue sous son pseudonyme Dion Fortune, Violet était une initiée du Golden Dawn et avait fondé son propre ordre magique, la *Society of the Inner Light*. Elle s'assit donc dans la position des dieux égyptiens, face au sud-est et dessina rapidement un cercle astral.

En tant que psychique naturelle, elle était non seulement consciente de ses corps subtils, mais aussi d'un petit défaut, semi-permanent, dans le câble d'argent qui relie l'éthérique au physique. Elle se tourna rapidement vers le nord-est pour le faire disparaître et projeta ensuite son corps astral dans le centre du cercle.

Même si le seul témoignage qui existe sur son expérience prend grand soin de ne pas donner des informations techniques (qui étaient encore secrètes au moment où le témoignage fut publié en 1932), il est probable qu'elle a utilisé une certaine variation de la technique du corps de lumière pour déclencher la projection. Dans tous les cas, elle était suffisamment expérimentée pour que n'importe quelle forme de corps de lumière provoque automatiquement la sortie de son corps astral.

Elle tourna le fantôme vers l'est, la direction du soleil levant, et invoqua les noms de dieux du Middle Pillar, un exercice conçu pour énergiser les cinq principaux chakras le long du centre du corps. Ces noms sont, phonétiquement : *Yeck-id-ah Eh heh-yeh, Yeh-hoh-voh Eh-loh-eem, Yeh-hoh-voh El-oh-ah vey-Da-as, Shah-day El-cahy,* et *Ah-doh-nay hah-arh-retz*[1].

Lorsqu'ils ont vibré pendant une expérience hors corps, ils provoquent un renforcement spectaculaire du véhicule astral. Dion Forture rapporta : «Projection claire. La conscience définitivement centrée dans le corps astral.»

À ce stade, elle parla d'un chemin vers un certain temple astral. Chaque organisation magique qui va plus loin que les rituels vides possède son propre temple sur le plan astral et des façons soigneusement élaborées pour s'y rendre. Dion Fortune était familiarisée avec le temple du Golden Dawn et celui de sa propre organisation mais, dans ce cas, le temple auquel elle faisait référence était le temple cabaliste de Malkuth, fréquemment utilisé par les magiciens qui ont une formation cabaliste.

Dans la chambre d'habillement, elle revêtit une robe blanche et une coiffure à rayures, passa dans un environnement astral avec une lumière rouge, puis entra dans le temple où elle s'assit, face à l'est, sur une grosse pierre. Elle avait alors perdu tout sens de son

---

1   Pour une description complète de l'exercice, voir *The Middle Pillar* par Israel Regardie.

corps physique. Pour comprendre ce qui arriva ensuite, il faut un peu de connaissance de la cabale.

Arbre de vie

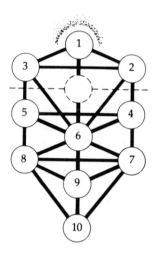

Regardez attentivement le diagramme. Il montre le glyphe central de la cabale ésotérique moderne : l'arbre de vie. Pour les Cabalistes, c'est le diagramme de la réalité, qui fait voir les relations entre certains de ses principaux aspects. Les 10 chiffres encerclés, connu sous le nom de *Sephiroth* (singulier : *Sephirah*) sont habituellement perçus comme des énergies ou des états sur le plan physique, mais existent comme des *endroits* définis sur le plan astral. Tout comme, nous le verrons plus tard, les chemins entre eux.

Alors que Dion Fortune était assise sur la pierre, son corps astral (quelle avait auparavant remarqué plein de vitalité) commença à s'élever. Elle le laissa monter jusqu'à ce qu'il passe à travers le plafond et se retrouve dans la lumière du soleil. Il continua à monter rapidement et passa à travers une couche de nuages; elle regardait maintenant le plancher de ouate ensoleillé et lumineux, familier aux voyageurs aériens. Le ciel commença à s'assombrir et à devenir indigo et elle vit un croissant de lune très grand et brillant. «Je savais, dirait-elle plus tard, que j'arrivais dans la sphère de Yesod.»

Malkuth, où le temple était, est identifié comme la sphère 10 dans le diagramme. Yesod, marqué 9, est juste au-dessus. C'est la sphère la plus intimement associée au plan astral et un de ses principaux symboles est la lune. En entrant dans le temple de Malkuth, puis en procédant directement vers le haut, Dion Fortune utilisait bien ses connaissances occultes. Elle utilisait en fait l'arbre de vie, pas exactement comme une porte d'entrée mais comme une carte du territoire astral. Une fois qu'elle se trouva dans un district connu de la carte, lorsqu'elle entra dans Malkuth, elle put utiliser le glyphe pour se diriger vers d'autres sphères.

Elle se rendit compte que son voyage se déroulait bien. Au-dessus d'elle, elle vit le soleil de Tiphareth (numéro 6 dans le diagramme) dans un ciel doré, mais qui ressemblait plus à un décor théâtral qu'à un vrai soleil. «Je continuais à monter dans le pilier central, écrivit-elle, sans effort mais avec une sensation de rapidité à vous couper le souffle, me demandant où je m'en allais maintenant.»

Il lui fallut peu de temps pour décider qu'elle se dirigeait vers Kether, la sphère la plus élevée de l'arbre, numéro 1 dans le diagramme, symbole d'unité et de divinité. En chemin, elle «passa par une sphère où elle vit les ombres d'anges avec les harpes traditionnelles, assis sur les nuages autour de moi». Cette sphère, il ne semble pas y avoir de doute, était Daath, qui n'est pas numérotée dans le diagramme car les cabalistes croient que bien qu'elle soit intimement associée avec l'arbre, elle existe dans une dimension différente. Elle est montrée chevauchant une ligne pointillée, marquant la région du gouffre, la zone de démarquation entre les trois Sephiroth supérieurs et le reste de l'arbre.

Avec tous ces discours de glyphes et de symboles, il est tentant de penser que l'expérience de Dion Fortune était interne et personnelle; mais bien qu'il y eût sans aucun doute des éléments personnels de sa perception, le voyage était en général tout à fait objectif, «une élévation de plans», dont les détails me furent confirmés par un voyageur sans connaissance cabalistique il y a plusieurs années. Dans ce contexte, mon voyageur a aussi trouvé les anges de la sphère Daath difficiles à voir, mais il est resté assez longtemps pour les décrire comme puissants, unidirectionnels et froids (émotivement).

Continuant toujours de monter, Dion Fortune entra dans une sphère de lumière blanche aveuglante, qu'elle cru être Kether (numéro 1 dans le diagramme). Comme elle avait auparavant perdu le contact avec son corps physique, elle découvrit qu'elle ne sentait plus maintenant son véhicule astral. Elle était devenue un point de conscience sans qualité, conservant son individualité seulement en tant qu'étincelle de la vie essentielle. Elle était consciente des voiles de l'existence négative au-delà de Kether «comme la noirceur d'une nuit sans étoile, s'étendant jusqu'à l'infini». (Ce voile réfère à un endroit dans la doctrine cabaliste qui ressemble à la théorie hindoue *Breath of Brahma*. Selon cette doctrine, l'univers a existé de façon non manifeste avant de naître; et il retournera à la fin sous sa forme non manifeste selon un cycle éternel. Les cabalistes symbolisent le «décor» non manifeste de l'univers par trois voiles connu comme *Ain*, la négativité, *Ain Soph*, l'illimité et *Ain Soph Aur*, la lumière illimitée.)

Soudainement, dans l'état de lumière, Dion Fortune se retourna de façon que son dos soit pour ainsi dire vers l'arbre. Elle se vit reculer dans l'arbre... et changer. Cette forme était de la taille de l'arbre, les pieds plantés dans la sphère bleutée de la Terre, le Sephirah supérieur à la hauteur de sa tête. Elle se sentit, admit-elle par la suite, comme un grand être angélique, s'élevant à travers le cosmos entier, pas juste le système solaire, dans une musique de fond grandissante.

L'expérience se termina et elle fut réabsorbée dans la sphère Malkuth, passant à travers le toit et se retrouvant assise, grandeur normale, sur la pierre. Mais la forme imposante demeurait, obscurcissant le temple, et elle avait maintenant développé une étrange conscience double : elle était consciente d'elle dans la figure imposante et simultanément dans la forme plus petite du temple.

À ce moment, il y eut une interruption terrestre. Des chiens commencèrent à aboyer et des enfants criaient dans la rue (physique) à l'extérieur. La Dion Fortune de petite taille ordonna à la grande forme de faire cesser le bruit dans la rue. Et la Dion Fortune de grande taille étendit la main sur les enfants qui faisaient du bruit... sans résultats perceptibles.

Ses connaissances occultes vinrent à nouveau à son secours et elle utilisa à la place un signe mystique. Son témoignage publié ne parle pas du signe en question, mais il s'agissait probablement du signe d'Harpocrates, le signe du silence appris dans le Golden Dawn. Peu importe le signe, il fut efficace et le bruit cessa. «La conscience était de nouveau centrée dans la grande forme, écrivit

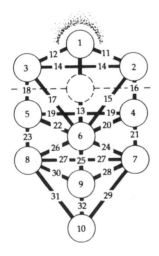

Dion Fortune. Je ne savais pas trop quoi en faire car je ne m'attendais pas à une telle manifestation et je n'en connaissais pas les possibilités.»

Par la suite, elle décida d'essayer de projeter de l'énergie de la forme imposante et elle y réussit sous la forme d'un jet de lumière dorée. Elle s'écoulait comme l'eau d'une borne-fontaine, pleine d'étincelles de diamant, d'abord des paumes de ses mains, ensuite du plexus solaire et finalement aussi de son front. L'autel du temple de Malkuth se transforma en un réservoir de pierre pour recevoir l'énergie, qui cessa lorsque le réservoir fut rempli.

Dion Fortune croyait fermement que l'expérience était terminée et se hâta de retourner dans son corps physique. Mais ayant remarqué que sa respiration était très lente et peu profonde, elle attendit qu'elle redevienne normale avant de le réintégrer. Elle le fit en revenant sur terre avec un autre signe mystique et en tapant fortement du pied. Il était alors 8 h 45.

Il s'agit d'une expérience remarquable, même en considérant que Dion Fortune était une psychique naturelle et une occultiste entraînée, et elle indique une façon dont l'arbre cabalistique peut être utilisé avec un effet considérable. Cependant, ce n'est pas la façon dont les cabalistes intéressés à la projection l'utilisent. Il y a 22 chemins dans l'arbre de vie. Si vous regardez le diagramme, vous pouvez les compter : ce sont les lignes qui relient les Sephiroth. Chaque chemin est une piste astrale spécifique qui conduit à un Sephirah aussi sûrement que la technique d'élévation des plans de Dion Fortune. La porte d'entrée de chaque chemin est une arcane de Tarot.

Il est peu probable que j'aie à vous expliquer ce qu'est le Tarot. C'est un jeu de cartes spécial de 78 lames qui peut être utilisé pour jouer, mais qui sert plus souvent pour dire la bonne aventure. Ces 52 lames sont accompagnées de 22 arcanes, des cartes avec des images très curieuses qu'on a longtemps cru être des répertoires de symbolisme (arcane). Dans la cabale moderne, chaque arcane est associée à un chemin de l'arbre.

Les différents chemins de l'arbre sont numérotés dans le diagramme ci-haut. Les arcanes associées se retourvent dans ce tableau :

Chemin	De	N°	À	N°	Arcane
32	Malkuth	10	Yesod	9	Le monde
31	Malkuth	10	Hod	8	Le jugement dernier
30	Yesod	9	Hod	8	Le soleil
29	Malkuth	10	Netzach	7	La lune
28	Yesod	9	Netzach	7	L'empereur
27	Hod	8	Netzach	7	La maison-Dieu
26	Hod	8	Tiphareth	6	Le diable
25	Yesod	9	Tiphareth	6	La tempérance
24	Netzach	7	Tiphareth	6	Le mort
23	Hod	8	Geburah	5	Le pendu
22	Tiphareth	6	Geburah	5	La justice
21	Netzach	7	Chesed	4	La roue de fortune
20	Tiphareth	6	Chesed	4	L'hermite
19	Geburah	5	Chesed	4	La force
18	Geburah	5	Binah	3	Le chariot
17	Tiphareth	6	Binah	3	Les amoureux
16	Chesed	4	Chokmah	2	Le pape
15	Tiphareth	6	Chokmah	2	L'étoile
14	Binah	3	Chokmah	2	L'impératrice
13	Tiphareth	6	Kether	1	La papesse
12	Binah	3	Kether	1	Le bateleur
11	Chokmah	2	Kether	1	Le fou

Pour emprunter les chemins, vous aurez évidemment besoin d'un jeu de Tarot, ou du moins d'une série complète d'arcanes. Il existe plusieurs jeux de Tarot sur le marché et il y en a constamment des nouveaux. Pour la divination, vous pouvez utiliser le jeu qui vous convient, puisque la variation du symbolisme a pour effet positif de déclencher le psychisme chez différentes personnes. Mais pour des fins astrales, je recommande fortement le Tarot de Marseille. Ce jeu comporte des graphiques rudimentaires et manque le symbolisme détaillé de plusieurs autres, ce pourquoi il est si utile pour ce travail : votre esprit a tendance à combler les liens qui manquent.

Je ne vous suggère pas de travailler l'arbre au complet – c'est-à-dire de parcourir chaque chemin – à moins d'avoir un entraînement de cabaliste. Mais rien ne vous empêche d'essayer un des chemins inférieurs. Dans *Astral Doorways*, je donnais des directives brèves pour entrer dans le trente-deuxième chemin, reliant Malkuth et Yesod. Je l'avais choisi parce que son expérience centrale est l'autoconnaissance, un excellent point de départ pour ceux qui s'intéressent à la cabale astrale. Le trente et unième chemin, de Malkuth à Hod, convient aussi aux débutants. Il leur permet de comprendre leurs relations avec les autres et leur indique ce qu'elles peuvent leur apprendre.

La méthode qui suit est de même nature que la méditation visuelle, sans essayer de projeter le corps astral (comme l'a fait Dion Fortune dans l'expérience décrite plus tôt). Toutefois, vous découvrirez peut-être qu'une projection complète s'ensuit automatiquement, surtout si vous avez utilisé certaines techniques exposées dans ce livre.

Comme tous les chemins cabalistiques, le trente et unième a un symbolisme clairement défini, centré presque entièrement autour de l'élément du feu. Si vous trouvez différents symbolismes d'éléments dans votre expérience, il y a risques que vous vous soyez écarté du chemin et que vous deviez retourner.

Vous rencontrerez deux grandes formes archétypes dans cet exercice : l'archange Sandalphon, qui vous aidera à quitter la sphère de Malkuth, et l'archange Michael, qui vous accueillera lorsque vous atteindrez la sphère de Hod. Environ à mi-chemin, vous rencontrerez probablement une certaine représentation de la lettre hébreux associée au chemin. Elle s'appelle *shin*, ce qui signifie «dent» et ressemble à ceci :

Le symbolisme du feu est assez évident de par son apparence.

Avec les deux archanges et le symbole hébreux en tête, vous avez le début, le milieu et la fin du chemin; vous risquez donc peu de vous écarter. Avant de commencer, vous aurez besoin d'une petite table, d'une chandelle allumée et, comme toujours, d'une pièce tranquille où vous ne serez pas dérangé. La première étape consiste à entrer en contact avec le temple Malkuth où Dion Fortune a commencé son remarquable voyage. Même si la technique est interne, le résultat devrait être objectif. Le temple a été brûlé dans la lumière astrale grâce à l'effort de milliers de cabalistes entraînés sur plusieurs centaines d'années et possède une permanence et une stabilité. Vos visualisations créent un lien qui assure, à tout le moins, que vous observez l'astral et, au moins, que vous y êtes aspiré complètement. Voici ce qu'il faut faire :

Installez votre chandelle de façon sécuritaire sur la table, vers l'est. Assoyez-vous confortablement et effectuez un processus de relaxation consciente. Lorsque vous êtes tout à fait relaxé, regardez la flamme de la chandelle et laissez-la capter votre attention. Relaxez-vous davantage et imaginez que la pièce autour de vous change lentement. Les murs sont remplacés par des rangées de colonnes de marbre noir tacheté d'or et bien poli. Lorsque vous pouvez voir clairement ces colonnes dans votre esprit, orientez votre attention vers le plancher qui change aussi pour devenir un damier noir et blanc de marbre.

Vous devriez alors fermer les yeux et absorber l'image de la chandelle dans votre vision. Voyez-la vasciller sur l'autel faite de deux cubes drapés de noir, qui a remplacé la table. Laissez la flamme grandir (comme vous avez fait avec le symbole tattwa lorsqu'il se transforme en porte d'entrée) et approchez-vous en jusqu'à ce que vous voyiez une forme géante se tenir dans la flamme, grandissant progressivement jusqu'à ce qu'elle se dresse au-dessus de vous, atteignant presque le plafond.

La forme est vêtue d'un mélange olive, citron, brun-roux et noir, les couleurs d'automne de la nature. Laissez le temps à la forme de se solidifier, car il s'agit de Sandalphon, l'archange de la sphère de la Terre et le gardien du temple Malkuth. Derrière l'archange et l'autel, vers l'est, vous pouvez maintenant voir clairement trois portes, chacune recouverte d'un rideau de tapisserie, chaque rideau représentant un énorme dessin d'une arcane de Tarot.

Sur la porte du centre, vous pouvez voir l'ovale d'une couronne de laurier, entrelacée de lis et de roses et entourée (dans le sens contraire des aiguilles d'une montre, à partir du bas à gauche) des symboles élémentaires d'un taureau, d'un lion, d'un aigle et d'un homme, un dans chaque coin. Dans l'ovale, pâle dans la noirceur indigo, se trouve une forme hermaphrodite, nue mais avec un voile drapant son corps, et portant une spirale dorée dans une main et une spirale argent dans l'autre. C'est l'arcane numéro 21 du Tarot, le Monde.

Sur la porte de droite, le rideau représente une scène très différente. Deux chiens aux abois se tiennent sur le bord d'une rivière, alors qu'un homard géant rampe dans l'eau, ses pinces touchant presque un bout de parchemin sur lequel est écrit la syllabe *MA*. Derrière les chiens, dans l'arrière-plan, s'élèvent deux tours de pierres. Au-dessus d'elles, dominant la scène, se trouve une pleine lune, basse à l'horizon. C'est l'arcane numéro 18 du Tarot, la Lune.

La troisième porte, à gauche, représente le dessin de la page 198.

C'est l'arcane numéro 20 du Tarot, le jugement dernier et lorsque vous absorbez son symbolisme, Sandalphon s'éloigne de l'autel et se dirige vers cette arcade, indiquant, du geste, que vous pouvez y entrer.

Imaginez clairement que vous vous levez de votre chaise (qui est maintenant transformée en pierre sur laquelle Dion Fortune était assise) et que vous vous dirigez vers la porte. Ouvrez le rideau et entrez. Votre voyage a commencé.

9

Voyages guidés

Toutes les portes d'entrée décrites jusqu'à présent étaient visuelles, et il en existe certainement plusieurs. Mais les loges hermétiques ont développé il y a longtemps des techniques différentes, non pas tant pour l'exploration astrale que pour la formation astrale. C'était la technique du *cheminement guidé* où les participants se joignent à un magicien/guide expérimenté pour parcourir un endroit bien défini de l'astral et prendre part à des expériences *préplanifiées*.

De telles expériences avaient plusieurs buts, de l'initiation à la canalisation du pouvoir. Certaines tiraient profit du genre de symboles visuels que vous avez utilisés, mais d'autres ne le faisaient pas. On recourait plutôt à des instructions *verbales* très détaillées pour créer des images dans l'esprit. On croyait, avec une certaine justesse, que de tels débuts étaient plus près de la réalité de l'expérience astrale que même le symbole graphique le mieux construit.

Les portes d'entrée verbales demeurèrent l'apanage exclusif des occultistes initiés jusqu'au début des années 1980, alors qu'une ritualiste anglaise, Dolores Ashcroft-Nowicki, décida de rendre la technique publique. Dolores Ashcroft-Nowicki était une initiée de la *Society of the Inner Light* de Dion Fortune et une disciple du remarquable magicien W. E. Butler qui, avec Gareth Knight, fondèrent le très réputé *Servants of the Light School of Occult Science*. Après la mort de M. Butler, Dolores Ashcroft-Nowicki devint, à sa demande, le chef de l'organisation et elle l'est encore aujourd'hui.

Malgré ces références impressionnantes, sa décision de dévoiler les détails des techniques du cheminement guidé à l'extérieur des loges ésotériques créa un scandale parmi ses confrères occultes, dont plusieurs désapprouvaient profondément sa façon d'agir. Mais elle croyait que le temps était venu pour cette méthode d'atteindre un plus grand auditoire et elle persévéra dans sa démarche controversée. De ses exposés publics sur le cheminement guidé devant de grands publics, mais nécessairement limités, Dolores Ashcroft-Nowicki se mit à écrire pour atteindre un auditoire encore plus grand.

Son premier livre sur le sujet, *The Shining Paths*, était une collection de cheminements guidés verbaux centrés sur l'arbre de vie cabaliste. Le livre fut publié par Aquarian Press en 1983. Quatre ans plus tard, l'auteure publiait à nouveau un livre intitulé *Highways of the Mind*, un exposé encore plus détaillé de cet art et qui comprend l'histoire fascinante de son développement.

Dolores Ashcroft-Nowicki continua à étendre son rayon d'influence avec un mariage d'anciennes techniques et de technologie moderne. En 1988, elle lança la première d'une série de vidéocassettes, *Invitation to Magic*, conçues pour rendre la méthodologie ésotérique accessible aux élèves par l'intermédiaire de la télévision. Le premier vidéo produit, *An Introduction to the Western Mystery Tradition*, contenait, on pouvait peut-être le prévoir, entre autres choses, un cheminement guidé complet donné par Dolores Ashcroft-Nowicki elle-même. Même si l'idéal est la présence physique d'un professeur expérimenté, l'utilisation du vidéo est un substitut valable. Mais si vous n'en avez pas de copie, vous pouvez quand même expérimenter une porte d'entrée verbale en en fabriquant une vous-même.

Préparez votre porte d'entrée en enregistrant mot pour mot le scénario qui suit. Il provient directement de l'*Introduction to the Western Mystery Tradition* de Dolores Ashcroft-Nowicki et représente un élément de tous les cheminements inclus dans son vidéo. Aussi intéressante que vous trouviez l'expérience, je ne suggère pas de l'utiliser plus d'une ou deux fois; autrement, vous risquez d'avoir des résultats déséquilibrés.

Prenez soin d'enregistrer le scénario correctement. Si vous hésitez sur un mot ou que le flot est interrompu pour une raison ou pour une autre, recommencez. Essayez d'y mettre de la force et un jeu d'intonation pour créer une impression aussi visuelle que possible. Voici le texte :

> Mettez-vous à l'aise et commencez à relaxer votre corps partie par partie.
>
> Lorsque vous êtes bien relaxé, vous pouvez commencer la respiration rythmée 4-2-4-2.
>
> Lorsque vous êtes prêt, commencez à construire la porte d'entrée dans le monde interne, puis dirigez-vous vers elle et ouvrez-la.
>
> Devant vous se tient un personnage vêtu de noir et de jaune, avec un visage grave et triste. Les yeux nous retiennent et nous nous sentons incapables de bouger.
>
> C'est l'archange Uriel de la planète Terre. Il est venu nous chercher pour un voyage qui aura des effets profonds sur nous dans le futur.
>
> Les yeux brillants tirent notre conscience et nous avons l'impression de tomber longtemps avant d'arrêter soudainement.

En ouvrant les yeux, nous nous retrouvons sur un plateau élevé; les vents sont si forts qu'ils menacent de nous faire culbuter dans la vallée très loin en bas.

Uriel se tient avec nous et pointe vers l'est. Nous y voyons un nuage flottant, fait de créatures sveltes et sublimes, venant vers nous. Au milieu se trouve une autre forme plus large.

Elles voltigent autour de l'archange, essayant de s'approcher de lui comme si sa simple présence était une joie pour elles.

Le plus grand personnage aurait pu sortir d'un conte de fées, grand et mince avec un visage d'elfe pointu et des yeux obliques argent et des oreilles pointues.

Ses cheveux sont longs et blonds et bougent constamment comme s'ils étaient soufflés par un vent absent. Il est enveloppé dans un manteau de brume bleue.

Il s'incline devant Uriel et parle, mais nous ne pouvons comprendre ses mots qui sont comme de grands vents et de douces brises. Uriel touche nos fronts avec son doigt et, soudainenemt, nous POUVONS comprendre ce que Paralda, le roi élémentaire de l'air, dit et nous pouvons lui répondre.

Il étend son manteau bleu sur nous et, avec les sylphes qui suivent, il quitte la montagne en s'envolant.

Le mouvement brusque vers l'extérieur nous fait peur, mais cela passe vite et nous savons par son rire que Paralda a aimé nous agacer. Comme toutes les créatures élémentaires, il peut être taquin, mais en tant que roi de son élément, il est le seul à être doté d'une âme immortelle et cela lui donne l'habileté d'aimer, de rire et de comprendre.

Nous sommes transportés au-dessus de hautes montagnes et au fond de vallées profondes.

Nous sommes entraînés à travers la forêt et les branches, nous balançant comme un bateau sur la mer.

Nous sommes plus à l'aise maintenant car nos formes humaines se sont transformées en sylphes. Cela nous libère du besoin du manteau de Paralda.

Nous suivons nos compagnons, en piquant et en plongeant, pendant que Paralda nous offre cette liberté.

Nous jouons comme des enfants, faisant ballotter sur les cordes les vêtements fraîchement lavés, faisant sonner les petites cloches dans les clochers. Nous effleurons le sol et faisons lever les feuilles mortes, nous tirons les foulards, les parapluies et les papiers des mains agrippées.

Puis, Paralda nous demande de le rejoindre et nous nous reposons sur un nuage de tempête qui se dirige vers la mer.

Paralda nous dit que tout son travail n'est pas comme ça. Une partie de son domaine s'intéresse à la température, car les mouvements d'air sont la base de la température sur terre. Les sylphes travaillent étroitement avec l'élément de l'eau afin de conserver des modèles harmonieux.

Il nous parle du vent d'échange qui souffle dans un sens précis autour de la terre et de la façon dont les nuages remplis d'eau sont déplacés pour apporter la pluie.

Nous apprenons qu'il est limité par la façon dont la terre est inclinée et doit apporter plus de pluie à certaines régions qu'à d'autres. Il nous dit que certaines personnes peuvent influencer les modèles de température jusqu'à un certain point et retarder la pluie ou les tempêtes, ou les provoquer.

Il peut lui-même être influencé par ces personnes puisqu'il est un subordonné de la race humaine dans son pouvoir. Il peut savoir que ce qu'on lui demande est mauvais, mais il ne peut pas toujours désobéir.

Si la pluie est détournée de l'endroit où elle devait tomber, elle doit alors tomber ailleurs, peut-être sur un champ de maïs mûr. Le prix d'une journée de soleil pour vous peut vouloir dire la ruine d'un fermier.

Nous lui avons parlé des tempêtes et des ouragans qui causent des dommages et font des victimes.

Paralda explique qu'il est limité par les lois naturelles de cause à effet et par les champs de force qui entourent la terre.

Lorsqu'une combinaison d'événements se produit, il ne peut échapper aux résultats. Lorsque la terre s'incline et s'éloigne du soleil, son élément doit traverser des régions pour refroidir l'air. Il ne peut défaire l'hiver; et le mélange du chaud et du froid donne de la brume, ce qui est une loi naturelle.

Il nous dit que les sylphes existent aussi en nous-mêmes. Ce sont des cotravailleurs dans notre vie. Sans eux, nous ne pourrions respirer, parler ou chanter, cependant nous en sommes très peu reconnaissants. Parfois seulement lorsque nous respirons de l'air frais, nous sommes contents et ils savent alors que nous sommes conscients de leur présence.

Mais les sylphes sont changés par la pollution et non de façon heureuse. À cause d'elle, ils deviennent d'autres formes d'existence qui ne sont ni belles ni utiles, ce qui est contraire à leur modèle premier, les avilit et les désempare.

Paralda se lève, place son manteau sur nous et nous ramène vers Uriel pour nous préparer à la prochaine partie de notre voyage. Il nous dit adieu, s'incline devant Uriel et retourne à son travail avec ses assistants.

Uriel nous demande si nous avons l'impression d'avoir appris quelque chose de notre conversation avec Paralda et nous devons dire ce que nous ressentons...

Uriel nous enveloppe dans la douceur de ses ailes auriques et là, nous pleurons sur le coeur de l'archange alors que nous sommes ramenés à notre propre place.

Uriel nous laisse à la porte et, avant de partir, nous bénit et, avec sa main sur nos têtes, nous dit de nous SOUVENIR.

Nous passons la porte et retournons dans nos corps physique, en nous réveillant doucement et lentement, regardant autour de nous et remarquant les choses familières, devenant alors graduellement conscient encore une fois.

Une fois que vous avez terminé l'enregistrement (et êtes satisfait de la qualité), vous pouvez procéder de la même façon qu'avec les autres portes d'entrée. Trouvez une pièce tranquille où vous ne serez pas dérangé pendant la durée de l'expérience. Assoyez-vous sur une chaise confortable et effectuez votre processus de relaxation consciente.

Il s'agit, bien sûr, d'un cheminement élémentaire et la section donnée est évidemment associée à l'élément de l'air. Vous pouvez utiliser le *tattwa* de l'air pour entrer dans cet élément; ou au contraire, vous pouvez chercher à rencontrer Uriel dans le temple de Malkuth, où il a droit d'accès. Cependant, aucune de ces pratiques n'est satisfaisante.

Le problème est, bien sûr, que j'ai tiré seulement une section d'un cheminement élémentaire beaucoup plus équilibré. Toute tentative d'utiliser la porte d'entrée de l'air aura tendance à déséquilibrer davantage, alors que le temple cabalistique – pour des raisons que je ne comprends pas entièrement – n'est pas tout à fait bien disposé envers les expériences purement élémentaires.

Dans son vidéo d'entraînement, Dolores Ashcroft-Nowicki crée une sorte de porte d'entrée tout usage, une technique que j'ai rencontrée auparavant. Cela ne comporte rien de plus que la visualisation d'une porte solide sur le mur (physiquement nu) devant vous; vous devez l'ouvrir et, dans votre imagination, la traverser.

Lorsque vous êtes totalement relaxé, partez l'enregistreuse, fermez les yeux et suivez les instructions, laissant les images se former. Puisqu'il s'agit d'une expérience guidée, par conséquent un peu plus sûre que les autres expériences avec les autres portes d'entrée, vous voudrez peut-être essayer une projection complète en utilisant, par exemple, la technique du corps de lumière avant que le voyage enregistré ne débute. Pour que cela soit efficace, vous devez laisser une portion d'introduction vide sur le ruban afin d'avoir le temps de le mettre en marche, de créer et de vous projeter dans le corps de lumière *avant* que les commentaires ne commencent.

Troisième partie

LA PROJECTION EN PRATIQUE

1

Techniques de projection

J'ai commencé ce livre en faisant remarquer que l'expression *projection astrale* était souvent utilisée sans trop de rigueur pour décrire deux expériences qui sont, en réalité, séparées et distinctes : la projection éthérée et la projection sur le plan astral. Puisque vous ne risquez plus de confondre les deux à ce stade, il est temps d'admettre que d'importants liens existent entre les deux.

Vous le savez déjà, plusieurs projecteurs ont démontré une tendance à glisser d'une forme de projection à une autre. Robert Monroe, qui semblait sans aucun doute quitter son corps dans l'éthéré, se retrouvait souvent dans un monde (astral) différent. Et la technique du corps de lumière, une opération entièrement astrale, imite une projection éthérée si bien qu'il est souvent impossible de distinguer les deux.

Utiliser votre corps astral (plutôt que votre corps éthéré) pour explorer le monde physique nécessite que vous vous détachiez de l'environnement astral. Cela se fait mieux, comme insistaient continuellement les lamas tibétains, en reconnaissant que l'environnement astral émerge ultimement de l'esprit; si ce n'est pas de votre esprit, c'est de celui de quelqu'un d'autre. Même les régions stables qui reflètent les formations du plan physique sont souples face à l'influence mentale. Sur le plan astral, l'esprit est *toujours* le facteur prépondérant.

Dans ces conditions, aller de l'environnement astral au plan physique est, en fait, une question de volonté. Mais cela revient un peu à dire qu'escalader le mont Everest est une question de volonté. C'est peut-être vrai, mais cela ne nous aide pas beaucoup.

Dans ces circonstances, je peux seulement vous conseiller de travailler assidûment à atteindre un niveau de pénétration, de connaissance et de compréhension qui vous permet de manipuler n'importe quel environnement astral, afin que vous puissiez passer à travers la lumière astrale pour atteindre le plan physique à votre gré. Mais en attendant, vous pouvez atteindre les mêmes résultats tout en étant ignorant a) en reculant à partir du temple de Malkuth ou b) en tombant de la sphère de Yesod. Même si ces deux techniques ont une base cabalistique, vous n'avez pas besoin d'être cabaliste pour les utiliser.

Le temple de Malkuth n'est pas quelque chose que vous établissez; il existe en permanence dans le plan astral, grâce aux efforts de plusieurs générations de cabalistes qui l'ont construit. Souvenez-vous que le voyage hors corps est en grande partie une question de *penser* que vous êtes à un endroit précis; le facteur important est donc de savoir où vous allez.

Une fois que vous avez connu le temple de Malkuth, vous pouvez toujours y retourner rapidement à partir de n'importe quel endroit du plan astral. Et puisque le temple lui-même possède des liens intimes avec le plan physique (qu'il représente dans l'astral), retourner dans le plan physique à partir du temple est très facile. Vous pouvez créer votre propre chemin (imaginaire) entre votre corps et le temple ou, encore plus simple, laissez les colonnes du temple fondre dans les murs de votre pièce.

Même le peu de renseignements sur l'arbre de vie donné dans ce livre est suffisant pour vous permettre de l'utiliser. Le glyphe prétend être une carte de la réalité et, sur une base purement empirique, vous découvrirez rapidement qu'il s'agit d'une carte précise, du moins en ce qui concerne la relation entre les plans astral et physique. La sphère (astrale) de Yesod est montrée *au-dessus* de la sphère (physique) de Malkuth et cet emplacement est juste... pour autant que vous ne le prenez pas littéralement. Cela m'amène à quelque chose que vous comprendrez vraiment seulement une fois que vous l'aurez vécu. Lorsque vous atteignez une projection *éthérée* complète et consciente, vous découvrirez (une fois que vous le recherchez) que vous êtes conscient d'une nouvelle *direction*. Subjectivement, cette direction semble monter et en donne l'impression, mais ce n'est pas la même sensation que vous avez dans votre corps physique. (Pour vous mystifier davantage, le haut physique vous est encore disponible afin que vous puissiez faire des voyages hors corps à travers le système solaire et dans l'espace.)

Cette nouvelle ascension vous amène directement – et de façon évidente – sur le plan astral : c'est le voyage entre Malkuth et Yesod, le trente-deuxième chemin cabalistique, la route empruntée par Dion Fortune dans son expérience spectaculaire. Inversement, un curieux sens de descente dans l'astral vous permettra de regagner le monde physique, où vous pouvez toujours enrouler le câble d'argent pour revenir à votre corps.

Bien que je m'en tienne à ce que j'ai dit plus tôt, qu'il n'est pas *nécessaire* d'étudier une forme de projection afin d'en expérimenter une autre, les liens entre les deux expériences rendent les échanges désirables. Pour cette raison, vous accueillerez peut-être favorablement le programme d'entraînement intégré suivant, sélectionné parmi la richesse du matériel exposé précédemment et conçu pour vous transformer en un projecteur expérimenté (dans le plan éthéré et astral) le plus rapidement possible.

Programme d'entraînement intégré de projection astrale

Étape 1 : Relaxation consciente

Avant d'entreprendre quoi que ce soit, exercez-vous à atteindre une relaxation consciente. C'est la base absolue de tellement de travail de projection qu'il est difficile d'imaginer faire des progrès réels sans elle. La relaxation est exposée plus en détail dans la section portant sur la projection éthérée. Lisez-la si vous ne l'avez pas déjà fait. Cette technique pratique, incluant le contrôle de la respiration, est répétée ici comme référence pratique.

Commencez par régulariser votre respiration. La relaxation est une fonction physique. Vos muscles emploient l'oxygène qui est extrait de votre système sanguin. À son tour, votre système sanguin puise l'oxygène dans l'air que vous respirez. En réglant votre respiration, vous augmentez la quantité d'oxygène dans votre sang, vos muscles y puisent la quantité optimale et sont beaucoup plus heureux de se relaxer pour vous qu'ils ne le seraient autrement.

Si vous avez déjà étudié le yoga, vous savez qu'il existe plusieurs sortes de techniques complexes de régularisation respiratoire. Celle que je veux vous enseigner s'appelle 2/4 :

1. Inspirez en comptant mentalement jusqu'à quatre...

2. Retenez votre souffle en comptant mentalement jusqu'à deux...

3. Expirez en comptant mentalement jusqu'à quatre...

4. Ne respirez pas avant d'avoir compté mentalement jusqu'à deux.

Le rythme à adopter en comptant varie d'une personne à l'autre. Commencez par synchroniser votre respiration et votre rythme cardiaque. Si cela ne vous convient pas, pratiquez l'exercice jusqu'à ce que vous ayez trouvé le rythme qui vous est le plus agréable.

Attendez d'avoir trouvé le rythme qui vous convient avant de passer à la deuxième partie de cet exercice.

Une fois que vous aurez établi un rythme respiratoire 2/4 agréable, consacrez-y environ trois minutes, et commencez ensuite la séquence de relaxation suivante. (Si vous pouvez maintenir le rythme 2/4 pendant que vous le faites, bravo, mais il est probable que vous ne pourrez y arriver au début. Dans ce cas, commencez simplement votre séance en faisant l'exercice respiratoire 2/4 pendant trois minutes, et reprenez votre rythme normal pendant que vous exécutez la principale séquence de relaxation. Reprenez ensuite le rythme 2/4 lorsque vous serez bien détendu.)

Concentrez-vous sur vos pieds. Agitez-les. Crispez-les afin de tendre vos muscles; laissez-les ensuite se détendre.

Concentrez-vous ensuite sur les muscles de vos mollets. Tendez-les et détendez-les.

Concentrez-vous sur les muscles de vos cuisses. Tendez-les et détendez-les.

Concentrez-vous sur les muscles de vos fesses. Serrez les fesses et l'anus, et détendez-les.

Concentrez-vous sur les muscles de votre ventre, site très commun de la tension. Tendez-les et détendez-les.

Concentrez-vous sur vos mains. Crispez les poings et détendez-les.

Concentrez-vous sur vos bras. Tendez-les rigidement et détendez-les.

Concentrez-vous sur votre dos. Tendez vos muscles et détendez-les.

Concentrez-vous sur votre poitrine. Tendez vos muscles et détendez-les.

Concentrez-vous sur vos épaules, un autre endroit où la tension se manifeste très souvent. Courbez les épaules pour tendre vos muscles, et détendez-les.

Concentrez-vous sur votre cou. Tendez vos muscles et détendez-les.

Concentrez-vous sur votre visage. Serrez les dents, crispez les muscles de votre visage et détendez-les.

Concentrez-vous sur votre cuir chevelu. Froncez les sourcils pour tendre les muscles de votre cuir chevelu et détendez-les.

Crispez maintenant tous les muscles de votre corps en vous tenant complètement rigide, et détendez-vous, en vous laissant aller autant que vous le pouvez. Faites cette dernière séquence une autre fois, et une autre encore (faites-la trois fois en tout). La troisième fois, respirez très profondément lorsque vous tendez vos muscles et soupirez profondément à haute voix en laissant la tension s'échapper.

Vous devriez maintenant vous sentir très détendu. Si vous avez abandonné le rythme 2/4 au début de la séquence de relaxation, reprenez-le maintenant.

Fermez les yeux et essayez d'imaginer que votre corps devient de plus en plus lourd, comme s'il se transformait en plomb. Vous vous rendrez compte que cette visualisation augmente grandement le niveau de votre relaxation.

Profitez de cette sensation de détente pendant le reste de la séance. Restez vigilant cependant. Si vous sentez la tension vous envahir de nouveau (et cela vous arrivera sûrement pendant les premiers jours), ne vous inquiétez pas. Vous n'avez qu'à tendre vos muscles un peu plus et à les détendre.

Employez la technique régulièrement jusqu'à ce que vous soyez capable de vous relaxer complètement chaque fois que vous en aurez envie.

Suivre le conseil de la dernière phrase peut prendre beaucoup de temps, mais je vous supplie de persévérer. Passez *au moins* deux semaines à pratiquer la relaxation quotidiennement puis passez à l'étape suivante; continuez à pratiquer la relaxation quotidiennement par la suite. Vous pouvez accélérer votre progrès en ajoutant de petits exercices à l'extérieur de la période officielle de relaxation. Si pendant la journée vous vous sentez tendu, prenez le temps de vous laisser aller afin que la relaxation devienne finalement un réflexe.

Étape 2 : Visualisation

Pratiquez la visualisation. Je n'ai jamais eu la moindre difficulté à créer des images mentales et j'ai tendance à sous-estimer le problème que cela peut causer chez les autres. J'ai déjà rencontré une graphiste qui ne pouvait visualiser. Je croyais que cela était impossible, mais elle m'assura que c'était le cas. Elle pouvait dessiner et peindre des représentations, et extrêmement bien, mais les images mentales la dépassaient. Heureusement, cette habileté, comme bien d'autres, relève autant de la pratique que du talent.

Si vous trouvez votre niveau de visualisation naturelle flou, ajoutez simplement 10 minutes de pratique de visualisation à votre séance de relaxation régulière. Choisissez un paysage ou un objet et essayez de le «voir» plus clairement. C'est une bonne idée de vous tester en forçant votre attention sur les détails. Comptez les boutons sur un manteau, par exemple, ou le nombre de brins d'herbe dans une touffe.

Si votre niveau naturel de visualisation est inexistant, comme celui de mon amie la graphiste, un bon point de départ est de regarder une image assez longtemps pour que l'image reste lorsque vous regardez ailleurs. (Essayez jusqu'à ce que vous en trouviez une qui vous convienne.) Ensuite, fermez les yeux et examinez l'image restante dans votre champ visuel obscur. L'image est semblable à la visualisation et peut habituellement être intériorisée sans trop de difficultés. Des variations de la technique sont, bien sûr, utilisées avec plusieurs des portes d'entrée mentionnées plus tôt.

Peu importe le niveau naturel de votre habileté de départ, vous verrez certainement une amélioration avec la pratique. Mais ne vous arrêtez pas à développer votre imagination *visuelle*. Imaginez la sensation de l'objet au toucher. Essayez de déceler des odeurs mentalement. Écoutez des sons imaginaires. Idéalement, vous devriez pratiquer votre vision interne à un degré où vous pouvez imaginer facilement n'importe quoi. Cela produit parfois des situations étranges. Physiquement, je n'ai pratiquement aucun sens de l'odorat, l'équivalent olfactif du daltonisme. Mais je n'ai aucune difficulté à imaginer des odeurs, même celles que je ne peux plus détecter physiquement.

Il est difficile de prévoir combien de temps il vous faudra pour développer vos pouvoirs de visualisation au maximum, mais, comme pour la relaxation, la pratique est importante. Comme minimum, consacrez deux semaines à améliorer votre visualisation naturelle ou aussi longtemps qu'il faut pour la développer si elle est absente. Mais vous pouvez, comme je l'ai dit, combiner ces exercices préliminaires avec votre pratique de relaxation.

Étape 3 : Libérer les corps subtils

La maladie chronique de Sylvan Muldoon semble l'avoir doté (ou peut-être ensorcelé) d'un corps éthéré naturellement lâche. Je soupçonne, à cause de la facilité avec laquelle je peux opérer dans les plans internes, que la même chose s'applique à mon propre véhicule astral. Quel que soit l'état naturel de vos corps subtils, ils peuvent être relâchés *avant* que vous n'entrepreniez une expérience astrale. La méthode pour ce faire fait partie d'une technique ésotérique plus vaste connue sous le nom de méthode Christos. Il faut trois personnes pour l'effectuer : le sujet, qui peut être vous, et deux assistants. Les étapes pertinentes sont les suivantes :

1. Commencez par demander au sujet de s'allonger par terre sur le dos. Placez-lui un coussin ou un oreiller sous la tête afin que son cou soit droit et à l'aise. Demandez-lui d'enlever ses souliers;

il peut garder ses chaussettes. Dans cette position, le sujet ferme les yeux.

2. Demandez à votre assistant de commencer à masser doucement les chevilles du sujet. Il faut un léger mouvement circulaire sur l'os de la cheville. À moins de l'expérimenter, il vous sera difficile d'imaginer l'effet relaxant extraordinaire que cela procure.

3. Après environ une minute, en continuant toujours le massage des chevilles, placez le bord de votre main courbée sur le front du sujet de façon qu'elle repose entre les yeux, bien ajustée dans le creux à la base du nez. Dans cette position, elle couvre le lieu naturel du troisième oeil. C'est l'emplacement du signe de caste hindou.

Une fois que votre main est dans cette position, pendant que le massage des chevilles continue, commencez à frotter vigoureusement avec un mouvement circulaire qui devrait se poursuivre jusqu'à ce que le sujet vous indique que la tête lui tourne. Assurez-vous qu'il demeure bien relaxé. Si la tension s'installe, faites-lui prendre plusieurs respirations profondes pour qu'il se détende.

Cela conclut l'aspect physique de la méthode, même si le massage continué très doucement au cours du reste de la session aide le sujet à demeurer relaxé.

4. L'aspect mental de la méthode débute ici. Demandez au sujet de garder les yeux fermés et de visualiser ses pieds. Il doit essayer de rendre cette visualisation aussi nette que possible (ainsi que les visualisations subséquentes), pour autant que l'effort n'affecte pas sa relaxation.

5. Dites-lui de vous l'indiquer lorsqu'il aura réussi à visualiser ses pieds; dites-lui ensuite de s'imaginer devenir cinq centimètres plus grand par la plante des pieds. Il devrait essayer de sentir la croissance et de voir les résultats dans son esprit.

6. Attendez que le sujet vous indique qu'il a réussi l'étape cinq, puis demandez-lui de retourner à sa longueur normale. Il devrait essayer de voir et de sentir ses pieds qui reviennent vers lui et reprennent leur position normale.

7. Répétez ce processus au moins trois fois, et plus si nécessaire, jusqu'à ce que votre sujet soit bien habitué et puisse visualiser

la curieuse croissance avec facilité. Ne vous dépêchez pas : c'est une partie importante du processus général qui jette la base d'une bonne partie de ce qui suit. Attendez chaque fois que le sujet vous indique qu'il a réussi. Votre patience à ce stade sera récompensée plus tard.

8. Maintenant, répétez tout le processus, mais cette fois-ci demandez au sujet de croître par le dessus de la tête puis de revenir à sa taille normale. Si vous avez pris le temps d'effectuer correctement le processus avec les pieds, cela devrait être assez facile. Encore une fois, répétez au moins trois fois.

9. Ramenez l'attention du sujet vers ses pieds et demandez-lui de croître de 30 centimètres. Assurez-vous qu'il a réussi avant de continuer.

10. Répétez la croissance de 30 centimètres et le rétrécissement par le dessus de la tête.

11. Ramenez votre attention sur les pieds et demandez au sujet de croître de 60 centimètres. Il est intéressant de constater que le fait qu'une personne puisse s'étirer mentalement de cinq centimètres ne garantit pas automatiquement qu'elle sera capable d'aller plus loin. Demandez-lui d'essayer jusqu'à ce qu'il réussisse l'étirement de 60 centimètres (ce qui devrait prendre moins d'une minute) mais ne lui dites pas de revenir à sa taille normale.

12. Lorsque votre sujet sent qu'il a étiré de 60 cm par la semelle de ses pieds, demandez-lui d'étirer simultanément par le dessus de la tête. Aussi étrange que cela puisse paraître, certains sujets découvrent que lorsqu'ils commencent à étirer par la tête, leurs pieds étirés commencent à rétrécir. Persévérez jusqu'à ce que l'étirement dans les deux directions soit obtenu et, encore une fois, ne dites pas à votre sujet de retourner à sa taille normale.

13. Lorsque l'étirement par la tête et les pieds est complet, demandez à votre sujet de s'étendre de partout, comme s'il gonflait comme une ballon. Continuez à essayer jusqu'à ce qu'il se sente étendu par-delà les limites de son corps physique. Nous avons tendance à penser au gonflement en termes de maladie ou de malaise, mais dans ce cas-ci la sensation est très plaisante une fois que l'étirement est complété.

14. Le processus de libéralisation est maintenant complet. Le sujet peut passer directement à une tentative de projection éthérée ou astrale. Si la projection n'est pas tentée immédiatement, assurez-vous de demander au sujet de s'imaginer reprendre sa taille normale. Ce manquement peut causer des problèmes.

Épate 4 : Conscience des rêves

Même s'il y a plusieurs autres options, vous pouvez utiliser l'état esprit éveillé/corps endormi comme clé pour la projection éthérée et astrale. Pour ce faire, la route la plus directe est le contrôle des rêves. Et la première étape du contrôle des rêves est une plus grande conscience de vos rêves. Achetez un carnet de notes ou une enregistreuse suggérés dans le texte et prenez l'habitude d'enregistrer vos rêves dès le réveil.

L'analyse des rêves est un art utile et important en soi, mais qui dépasse la portée de ce livre. Pour des fins de projection, votre seul intérêt est d'augmenter votre conscience de votre monde de rêve et de noter tout rêve de vol que vous pouvez avoir. Continuez ce processus jusqu'à ce que l'habitude soit développée, probablement après un mois.

Étape 5 : Contrôle des rêves

Le temps est maintenant venu de prendre le contrôle de votre vie nocturne. Le meilleur moment est lorsque vous entrez dans un état plaisant de somnolence, l'état hypnagogique, entre l'éveil et le sommeil. La façon de le faire est par autosuggestion.

À ce stade, vous aurez, bien sûr, à décider si vous voulez développer la projection éthérée, la projection astrale ou, peut-être, les deux plus ou moins simultanément. Quel que soit votre choix, je recommande que vos efforts initiaux visent à vous rendre *conscient* que vous rêvez. Cette étape vous amène directement sur le plan astral subjectif, mais elle facilite également la construction de de rêves de vol que Muldoon recommande comme déclencheur de projection éthérée.

Une fois que vous devenez conscient dans un rêve, vous avez le choix de développer vos habiletés sur le plan astral ou, en ayant construit votre rêve de vol, de vous réveiller dans le monde physique... en espérant être dans votre corps éthéré projeté.

Puisque le rêve est la clé de tellement de choses, vous pouvez vous permettre d'investir beaucoup de temps et d'énergie dans son développement. Ce n'est pas facile et certaines personnes ne réussissent jamais, mais je recommande de trois à six mois d'efforts avant de songer à abandonner. Ceci dans le pire des cas, bien sûr; vous pouvez être chanceux et développer le contrôle des rêves en une semaine.

Si, après avoir essayé de votre mieux, le contrôle des rêves vous dépasse toujours, passez à d'autres techniques exposées dans ce livre.

Étape 6 : Corps de lumière

Même si vous réussissez bien dans le contrôle des rêves, je suggère que vous preniez le temps de perfectionner la technique du corps de lumière. C'est votre lien entre la projection astrale et la projection éthérée, puisque le corps de lumière peut être utilisé dans les deux.

De deux à trois semaines de pratiques de visualisation préliminaire vous prépareront à cette expérience. Encore une ou deux semaines devraient suffire pour établir le corps de lumière, et une semaine finale de pratique quotidienne devrait vous suffire pour réussir à transférer votre conscience dans ce corps.

2

La projection ultime

Quel est le but de tout cela? L'expérience hors corps est-elle simplement une autosatisfaction attrayante, ou peut-elle être développée en quelque chose d'assez important pour que le gouvernement se sente un jour obligé de la taxer?

Toute une variété de possibilités surgissent des techniques exposées dans ce livre. Le chapitre sur le *I Ching,* par exemple, donne toute l'information nécessaire pour pratiquer cet art ancien d'évocation magique. Combinez ces techniques avec un prolongement de la création du *tulpa,* essentiel au corps de lumière, et vous pourriez avoir une évocation d'une *apparence visible ,* une opération magique hautement avancée.

Votre intérêt se porte peut-être sur l'alchimie, le plus obscur des arts occultes. Si c'est le cas, vous voudrez peut-être savoir ce qui arriverait si les aspects physiques des expériences alchimiques étaient combinés aux opérations astrales données dans les vieux livres.

Si ces cheminements vous semblent étranges, vous serez peut-être plus intéressé par la possibilité qu'un médecin hors corps puisse faire davantage pour guérir une certaine maladie que sa contrepartie portant le fardeau de sa chair. Ou, plus près de nous, vous pourriez suivre l'exemple d'un projecteur mentionné plus tôt, qui quitte son corps pour subir des traitements médicaux douloureux. Cette personne reste assez près pour contrôler ce qui arrive et peut influencer son corps pour répondre aux questions nécessaires, mais elle ne ressent plus la douleur.

La manipulation du plan astral (que vous ayez ou non projeté) peut donner beaucoup d'avantages, comme tous les magiciens le savent. Ceux-ci varient du développement spirituel à faire de l'argent.

Pour certaines raisons, un grand nombre d'occultistes sont trop embarrassés pour parler de ces dernières techniques; vous devrez donc chercher parmi les livres frénétiques qui semblent promettre la richesse instantanée pendant que vous sommeillez. Leurs auteurs réalisent rarement qu'ils sont engagés dans des opérations astrales, mais ils le sont.

Si vous préférez gagner votre vie à la sueur de votre front, vous pourriez faire pire que d'étudier la vie de Nikola Tesla, l'inventeur yougoslave-américain prolifique qui inventa, entre autres choses, le courant alternatif. Tesla était si habile en manipulation astrale qu'il pouvait construire une machine dans le monde de son imagination, la laisser fonctionner dans son esprit, continuer ses affaires pendant trois semaines, puis démonter la machine astrale et inspecter ses pièces pour en voir l'usure. Cela lui permettait de prédire précisément comment une machine se comporterait si elle était construite physiquement.

Je pourrais continuer indéfiniment, mais il y a un domaine où l'expérience acquise hors du corps s'avérera absolument inestimable pour vous. Excusez-moi d'en parler, mais vous mourrez un jour. Lorsque cela arrive, voici ce qui se produit :

D'abord, à moins d'un accident ou d'un meurtre, vous mourrez lentement. Le processus commence au niveau cellulaire et poursuit son chemin pour inclure les organes. Pendant les 20 premières années de votre vie, vos cellules sont en croissance. Par la suite, elles commencent à régresser. Celles qui sont perdues dans l'usure et le déchirement quotidien sont remplacées de moins en moins efficacement. Avec le temps, elles ne sont pas remplacées du tout. Le résultat final prend beaucoup de temps — jusqu'à un maximum d'environ cent ans — mais demeure absolument prévisible. Nos cultures préfèrent appeler ce processus le *vieillissement*. La réalité est que vous avez commencé à mourir.

La majeure partie du temps, le processus n'est pas perceptible, même si vous regardez de très très près. Un microscope optique ne laisse rien voir jusqu'à ce que vos problèmes deviennent flagrants. Cependant, avec un microscope électronique, il est plus facile de voir ce qui se passe. Les fines structures de la cellule deviennent visiblement perturbées. Un gonflement se produit souvent, suivi par la rupture du contenu de la cellule dans les tissus environnants. Ou bien, seul le noyau de la cellule peut gonfler, se briser ou même rétrécir. De toute façon, le résultat est la mort de la cellule. Vous serez, bien entendu, inconscient de ce qui arrive aux cellules individuelles. Mais le miroir vous dira que vous vieillissez.

Les compagnies d'assurances n'acceptent pas le vieillissement comme cause de la mort. Elles considèrent des facteurs plus directs comme l'arrêt du coeur, comme pour insister que la mort est plutôt une maladie qu'un processus naturel. Mais bien que la maladie terminale soit souvent une caractéristique de la mort, elle n'est pas un prérequis. Pas plus que que le malaise ou la terreur.

Il est un fait curieux qui veut que plus vous vous approchez de la mort avec l'âge avancé, moins vous en avez peur.

Bien sûr, certaines personnes âgées souffrent de sénilité et tombent dans un état semi-conscient où la peur de la mort est évitée en vivant dans le passé. Mais lorsque l'âge extrêmement avancé est accompagné de lucidité, l'acceptation paisible semble être la norme psychologique. Vous aurez alors perdu plusieurs, sinon la plupart de vos amis et de vos parents; la perte de vie ne semble alors pas si terrible.

Quelle que soit la raison, il y a des indications claires que vous conservez à ce stade une certaine quantité de contrôle. Vous serez capable, dans des limites raisonnables, de choisir le moment de votre mort. Vous pouvez la remettre de quelques heures ou de quelques jours afin de terminer certaines choses laissées en suspens. Ou vous pouvez la saisir lorsque vous avez décidé que votre heure est venue.

Cependant, votre heure ne viendra pas tout d'un coup. Tout comme vous êtes destiné à mourir lentement, vous êtes aussi destiné à mourir petit à petit. L'organisme humain ne cède pas tout d'un coup. Vous pouvez, par exemple, survivre quelques heures, peut-être quelques jours après le décès de votre foie ou de vos reins. Même l'arrêt de votre coeur – ce vieil indicateur médical de la mort – n'est pas définitif : votre cerveau continue à fonctionner pendant quatre minutes avant que les dommages causés par le manque d'oxygène ne deviennent irréversibles.

Pour ces raisons, vous serez préoccupé jusqu'à la fin. Au moment où votre coeur est arrêté, vos yeux brouillés, votre respiration arrêtée et que les malheurs du monde ont cessé de vous préoccuper, ceux qui vous entourent peuvent encore avoir de la difficulté à déterminer si vous les avez vraiment quittés. Leur problème est que plusieurs états – le coma est un exemple bien connu – imite la mort de près. Trop de gens sans respiration et sans pouls se sont réveillés par la suite pour que les médecins soient sûrs d'eux.

Mais si votre médecin est prêt à attendre, le problème se réglera de lui-même. Certains signes se produisent *seulement* en présence de la mort. Ainsi, votre examen médical final commencera par la prise du pouls périphérique au poignet ou à la gorge. Incapable de le trouver, le médecin vérifiera le battement du coeur. Le trouvant également absent, il remarquera peut-être que votre respiration a cessé et que votre bouche, vos lèvres et vos extrémités deviennent bleues.

Si vous êtes branché à un électro-encéphalogramme, les mouvements qui formaient auparavant une série animée de sommets et de vallées deviendront plats au cours des cinq prochaines minutes, indiquant que le cerveau est mort. Le médecin vérifiera certains réflexes des yeux... qu'il ne trouvera pas.

Encore là, même si personne n'en parierait, il y a une mince chance que votre état ne soit pas terminal. Alors apparaîtront les signes qui ne laissent aucun doute.

Le premier est *algor mortis* : la température de votre corps tombe au niveau de celle de votre environnement immédiat. Ensuite vient *rigor mortis*, une rigidité temporaire de vos muscles squelettiques. Puis *livor mortis* montre son affreux visage alors que les parties de votre corps montrent une décoloration rouge-violet du sang qui repose... Et si certains doutent encore, ils seront bientôt convaincus lorsque les attaques microbiennes deviennent évidentes. Il n'y a pas de manière délicate de le dire : vous commencerez à pourrir. À ce stade, vous pouvez êtes certain que vous êtes complètement, tout à fait et irréversiblement mort. Vous n'avez peut-être pas apprécié le processus, mais au moins ce qui suit est intéressant.

Je possède des informations qui suggèrent que si vous mourez vieux et en bonne santé, la sensation fondamentale en est une de soulagement complet : une relaxation et un laisser-aller. Cependant, si vous avez une maladie terminale, le processus immédiat vers la mort tend à être une progression de malaise physique. Ce n'est pas nécessairement – en fait pas habituellement – la douleur. Le corps possède plusieurs mécanismes qui suppriment la douleur terminale très efficacement. Mais le malaise demeure et atteint son sommet au moment de la mort.

Votre expérience exacte dépend d'une variété de facteurs, entre autres le niveau de conscience de votre corps, le type de maladie (s'il y en a une) dont vous souffrez, et le fait que vous ayez reçu ou non des médicaments affaiblissant la conscience.

Plusieurs médicaments et certains types de maladie (entre autres de nature comateuse ou fiévreuse) bloquent votre conscience du processus de transition, tout comme, bien sûr, le fait de mourir dans son sommeil. Ou vous êtes peut-être un genre de personne dont la conscience du corps est faible, qui ne remarque tout simplement pas les détails les plus fins de ce qui vous arrive. Mais en supposant que vos perceptions sont aiguisées, éveillées et bien présentes, vous remarquerez un curieux son de bourdonnement ou de sonnerie, parfois suivi d'un son métallique. Pendant un bref instant de désorientation, vous aurez l'impression d'être entraîné dans un tunnel obscur.

Le tunnel est assez réel, même si ce n'est pas vraiment un tunnel. À la mort, votre centre de conscience se déplace de son endroit habituel derrière les yeux vers le haut et l'arrière pour sortir du corps par un des deux emplacements prévisibles du crâne. Ce mouvement est rapide. Lorsqu'il se produit, il crée une illusion d'entraînement dans un tunnel.

Mais tout arrive si rapidement que vous pouvez ne pas remarquer le tunnel du tout. En même temps que cela arrive, votre série de corps subtils – éthéré, astral, mental, spirituel – est séparée du corps physique. Votre conscience se dirige vers eux comme un pigeon voyageur.

Pour ceux qui ignorent certaines choses comme les corps subtils, ce peut être un moment de confusion considérable car, comme vous le savez, la sensation dans le corps éthéré n'est pas très différente de celle dans le corps physique. Pour cette raison, plusieurs personnes ne réalisent pas, du moins au début, qu'elles sont mortes. En fait, elles se sentent généralement bien, puisque les symptômes de la maladie ne se transportent pas. Dans cet état, elles essaient vainement d'attirer l'attention des gens qui les entourent et y mettent généralement beaucoup d'efforts jusqu'à ce que la vérité éclate.

Dans votre cas cependant, les choses seront beaucoup plus faciles. Comme projecteur éthéré, l'expérience de la mort vous sera très familière, la seule différence immédiate est que le cable d'argent n'est plus attaché à votre corps physique. Mais c'est une différence importante, car sans le lien physique, votre corps éthéré commencera éventuellement à se désintégrer, libérant le véhicule astral dans son propre plan d'opérations, la plan astral.

Ici aussi, votre habileté de projecteur vous sera considérablement bénéfique. Comme vous le savez, le plan astral reflète vos attentes inconscientes, et jamais de façon aussi puissante que lorsque vous le visitez après la mort. Pour cette raison, le conditionnement culturel (et une faible image de soi) peut bien vous avoir amené dans un des enfers astraux. Mais ce serait un enfer de votre conception, tout comme les nombreux paradis astraux qui ne sont rien de plus que des réflexions externes de l'état psychique de l'individu.

En tant que projecteur avec une expérience du plan astral, vous pouvez éviter les deux pièges et... quoi encore? La réponse à cette question piège dépend en fait jusqu'où vous êtes allé dans vos expériences sur les plans internes lorsque vous étiez encore réincarné. Vous avez peut-être utilisé vos voyages astraux pour enquêter sur les possibilités de la réincarnation. Ou vous avez peut-être suivi Dion Fortune dans les plans de la lumière cosmique.

Quelle que soit l'information que vous avez recueillie comme projecteur astral, je soupçonne qu'elle vous sera d'une importance considérable après la mort. Vous ne pouvez en dire autant de bien d'autres occupations.

Annexe

Questions et réponses

L'idée de la projection, aussi définie soit-elle, inquiète les gens. L'idée de quitter votre corps, peu importe pour quelle destination, est associée de trop près à la mort pour être confortable. Mais qu'est-ce qui peut mal tourner? Au cours des années, j'ai rassemblé plusieurs questions posées par des projecteurs nerveux, à la fois véritables et éventuels. Voici les plus communes, et leurs réponses.

Qu'est-ce qui arrive si je ne peux pas réintégrer mon corps?

Ne pas pouvoir réintégrer son corps physique serait évidemment un grave problème... si cela se produisait. Heureusement, la plupart des projecteurs trouvent que le vrai problème est de rester à l'extérieur et non de revenir. Au cours de plusieurs années de pratique, je n'ai jamais rencontré un seul projecteur, astral ou éthéré, qui ait eu la moindre difficulté à réintégrer son corps physique.

Fait intéressant, j'ai travaillé avec un ou deux projecteurs qui souffraient de douleurs physiques importantes à cause d'une blessure ou d'un accident. Puisqu'ils n'avaient habituellement pas conscience de leur douleur dans l'état de projection, ils étaient très motivés à demeurer hors de leur corps physique aussi longtemps que possible. Même dans ces conditions, la réintégration dans le corps physique se révélait très facile.

Est-il possible de perdre la conscience du corps physique?

Oui, facilement. Avec les deux formes de projection, la conscience du corps physique se perd assez rapidement. Il ne faut pas s'en inquiéter. En fait, une projection réussie semble *exiger* la perte de conscience du corps physique.

Qu'est-ce qui arrive *si je ne peux pas retrouver mon chemin* pour revenir à mon corps physique?

C'est une question très importante qui nécessite deux réponses différentes, selon le type de projection.

Dans la projection éthérée, la proximité du corps physique produit une attraction qui a tendance à tirer le corps éthéré (projeté) dans le physique. Cependant, lorsque vous vous éloignez de deux à trois mètres du corps physique, cette attraction diminue jusqu'au point où vous ne la sentez plus. Et puisqu'il est extrêmement facile de voyager tout en étant projeté, il est très facile de se retrouver à une bonne distance géographique de votre corps physique. Dans un tel cas, il est possible que vous soyez confus quant à la direction à prendre pour revenir dans votre corps physique.

Mais la confusion, aussi grande soit-elle, ne changera rien à deux faits fondamentaux. Le premier est qu'aussi loin que vous allez, vous demeurez attaché à votre corps physique par le câble d'argent dont il est fréquemment fait mention dans ce livre. Le deuxième est que, dans l'état projeté, il suffit de penser à une destination pour s'y retrouver; en d'autres mots, la pensée et le voyage sont interreliés de près.

En tenant compte de ces deux faits, retrouver votre chemin vers votre corps physique pendant une projection éthérée est assez facile. Si vous percevez le câble d'argent, vous pouvez vous tirer un peu comme un poisson. Si vous ne percevez pas le câble (c'est le cas de certains projecteurs), alors l'approche la plus simple est de penser que vous retournez dans votre corps et vous le ferez automatiquement. Pour un retour le plus rapide possible, vous pouvez suivre la suggestion de Robert Monroe et essayer de bouger une partie de votre corps comme un doigt ou un orteil. Cela a pour effet de ramener le corps éthéré dans le physique très rapidement.

Si le fait de retrouver votre chemin vous inquiète beaucoup, c'est une bonne idée de pratiquer ces techniques alors que vous êtes encore assez près de votre corps physique et que vous savez encore parfaitement bien comment y retourner de toute façon. Une fois que vous arrivez à retourner dans votre corps lorsque vous le désirez ou lorsque vous faites signe à votre corps physique de loin, vous pouvez projeter plus loin avec une plus grande confiance. Tout comme je n'ai jamais rencontré personnellement quelqu'un qui avait de la difficulté à réintégrer son corps, je n'ai jamais rencontré personne qui avait de la difficulté à retrouver son corps pendant une projection éthérée.

Certains experts croient que la même chose s'applique à la projection astrale. Un occultiste de ma connaissance, qui possède une expérience considérable de la projection astrale, mentionne qu'il est impossible de se perdre dans le plan astral puisque l'attraction du corps physique est trop forte pour que cela se produise.

Je crois que cela peut devenir vrai, si vous demeurez dans le plan astral assez longtemps pour que votre corps physique ait faim, par exemple; il vous lancera un appel de plus en plus pressant. À court terme, cependant, mon expérience m'indique qu'il est parfaitement possible de se perdre dans le plan astral et que cela peut souvent être terrifiant.

Il vaut toujours mieux prévenir que guérir, et la prévention dans ce contexte est très simple. Notez attentivement votre environnement astral et n'entrez pas dans un nouvel endroit avant de vous être familiarisé avec votre environnement immédiat. Puisque la projection astrale comporte souvent l'utilisation d'une porte d'entrée, assurez-vous qu'elle soit bien établie dans le plan astral avant de vous en éloigner et prenez des points de repère.

Si vous projetez un grand voyage dans le plan astral, vous pouvez résoudre le problème d'orientation complètement en *laissant une trace*. Puisque la matière astrale est très facile à manipuler par la pensée et la visualisation, vous pouvez fabriquer un fil derrière vous comme une araignée, ou simplement laisser une série de flèches lumineuses pointant vers votre porte.

Une autre approche pratique (que j'ai adoptée lors de mes premières projections astrales) est de vous assurer de projeter en la présence de quelqu'un qui s'occupe de votre corps physique. Votre compagnon peut vous aider à revenir chez vous si vous êtes parti trop longtemps ou si vous montrez des signes de malaise.

Finalement, pour insister sur le point précédent, si rien de tout cela ne fonctionne, mettez-vous à l'aise dans l'astral et attendez. Tôt ou tard, l'appel de la faim ou d'autres besoins plus urgents vous ramèneront. Ce sera peut-être une expérience éprouvante, mais, au moins, elle aura une fin heureuse.

Est-il possible de rencontrer des entités dangereuses ou menaçantes dans l'état projeté?

La réponse honnête semble être oui, sous réserve.

D'abord, je peux dire que cela n'est jamais arrivé aux sujets avec qui j'ai travaillé pendant une projection *éthérée*. Les projecteurs éthérés, selon mon expérience, sont toujours conscients des gens (des animaux et des lieux) dans le physique et sont *parfois* conscients des gens qui, comme eux, opèrent à l'extérieur de leur corps physique. Je n'ai jamais entendu parler d'entités étrangères (ou inhumaines) dans cet état, pas plus que de dangers et de menaces de la part de ces personnes désincarnées lorsqu'elles apparaissent à l'occasion.

Cela étant dit, une lecture de la littérature sur le sujet démontre assez rapidement que tout le monde ne partage pas cette expérience sereine de projection éthérée. Par exemple, Monroe parle de plusieurs expériences menaçantes lors de la projection. De dire qu'il peut exister une confusion entre la projection éthérée et astrale dans les témoignages n'aidera aucunement ceux qui sont pris dans une situation terrifiante. Mais Monroe lui-même a fait une observation importante, après des décennies de projections régulières (et il est toujours là pour le dire) voulant que les menaces hors corps sont plus terrifiantes que dangereuses.

La projection astrale peut, selon mon expérience, provoquer beaucoup plus fréquemment l'apparition d'entités inhumaines. Certaines de ces rencontres peuvent avoir l'air menaçantes, même dangereuses. Le sont-elles vraiment? Je n'en sais rien, mais je n'ai jamais perdu de projecteur astral jusqu'à ce jour. Mais il n'y a aucun doute qu'elles peuvent être terrifiantes.

La meilleure façon d'y faire face est peut-être de rester calme, de vous rappeler où vous êtes et de vous souvenir des lois étranges du plan astral. Un projecteur avec qui j'ai travaillé a été approché dans le plan astral par une entité menaçante qui possédait toutes les caractéristiques d'un ogre sortant d'un conte, dont une grosse massue. Je n'ai aucune idée de ce qui serait arrivé si elle avait paniqué, mais elle resta calme, attendit qu'il soit assez près, puis sauta par-dessus sa tête et s'enfuit. Puisque vous pouvez faire le genre de truc que l'on retrouve dans les bandes dessinées dans le plan astral, vous pouvez même changer de forme s'il le faut, il semble très peu probable que vous rencontriez quelque chose qui pourrait vraiment vous nuire, si vous gardez la tête froide.

On doit aborder deux autres points. Le premier est que dans une situation extrême, vous avez toujours la possibilité de retourner dans votre corps physique, un retour qui peut se faire instantanément. Le deuxième est un rappel que votre environnement astral reflète vos propres intérêts. Dans *Astral Doorways*, je faisais l'observation souvent citée que si vous rencontrez quelque chose de méchant dans l'astral, c'est parce qu'il y avait quelque chose de méchant dans votre tête en premier lieu. Cela peut sembler simpliste, mais est néanmoins important. Tous ceux qui connaissent les grandes villes savent que si vous marchez seul le soir dans un certain quartier, vous courez après les problèmes. La même chose s'applique pour le plan astral, sauf que les quartiers peuvent être des créations de votre propre esprit.

Les projections sur une longue période peuvent-elles rendre malade?

La réponse finale semble être non, pour autant que vous parlez de maladie *physique*. Mais même là, la situation est quelque peu compliquée.

Comme vous l'avez déjà remarqué, la maladie physique ou un accident peuvent en fait aider la projection. Sylvan Muldoon souffrait d'une maladie chronique depuis plusieurs années et il croyait fermement que son état l'aidait à sortir de son corps à son gré. Les accidents, comme un accident d'automobile, peuvent parfois propulser le corps éthéré hors du corps physique. Une maladie aiguë peut aussi forcer une projection, comme l'attaque cardiaque de Jung lorsqu'il se retrouva en orbite autour de la planète. Les expériences qui frôlent la mort sont presque inévitablement accompagnées d'une projection astrale ou éthérée (parfois des deux).

On peut donc conclure qu'il y a un lien solide entre la maladie ou une blessure et l'expérience hors corps. Mais le lien semble être dans une seule direction. C'est à dire que la maladie physique ou un accident peuvent conduire à une projection, mais la projection ne semble pas conduire à la maladie physique.

Il existe certaines indications démontrant que les projections répétées peuvent relâcher les corps subtils. Sans aucun doute, le plus souvent vous projetez, le plus facile cela devient. Mais il n'y a aucune preuve que l'effet de relâchement (s'il se produit vraiment) est dommageable pour votre santé.

Cela ne veut pas dire qu'il n'y a *aucun* problème de santé associé à la projection. Un retour trop brusque dans votre corps physique peut causer un mal de tête, une sensation discordante, des spasmes musculaires et, dans de rares cas, une fracture des os. (Cette dernière ressemble à une fracture causée par la toux et est aussi rare.) Il est également vrai de dire que si vous avez une condition préexistante, comme un coeur faible, le stress de la projection peut se révéler dommageable, comme tout stress. Mais ce sont des réactions périphériques et tout indique que si vous traitez la projection raisonnablement, évitant les endroits les plus dangereux, elle est alors aussi sûre que la plupart des activités et plus sécuritaire que bien d'autres où votre bien-être physique est mis en cause.

Cependant, un petit avertissement sur votre santé *psychologique* serait approprié. La projection astrale est parfois prise par certains types de personnalité comme une évasion du monde réel (physique). Typiquement, ces personnalités ont tendance à être mal adaptées à la société, ou du moins n'ont pas de succès dans leur carrière ou leurs relations humaines, mais l'excitation et la fascination de la projection astrale présentent un risque pour presque tout le monde. La littérature occulte regorge d'avertissements contre les dangers de la fascination astrale, une indication claire qu'une multitude d'occultistes en ont été victimes.

Ceux qui succombent à la fascination deviennent, à divers degrés, dépendants de l'astral, se plongeant dans les fantaisies étincelantes du plan aussi souvent que possible. Depuis la remontée de l'intérêt pour l'occultisme qui a accompagné le mouvement hippy dans les années 60, ceux qui dépendent de l'astral dépendent souvent aussi de la drogue, utilisant des drogues psychédéliques pour entrer dans le plan.

Éviter les dommages psychologiques est en grande partie une question de prévention logique. Tous ceux qui refusent d'essayer la drogue (même une fois) ne deviennent jamais dépendants. Et puisque les drogues sont absolument inutiles pour la projection astrale (ou éthérée), il n'y a aucune excuse pour les utiliser.

J'admets que de résister à la fascination est un peu plus difficile car le plan astral est un endroit fascinant. (Il m'a certainement attiré à plusieurs reprises au cours des années.) Mais accepter la fascination est une chose; se laisser écraser par elle en est une autre. Le truc est de conserver le sens des proportions. Vos enquêtes sur le plan astral ne sont pas plus importantes que votre gagne-pain. Le plan est une dimension qui n'a pas plus à nous enseigner que la dimension dans laquelle nous vivons. Les voyageurs astraux ne sont pas des supermen ou des superwomen. Ils sont tout au plus des élèves étudiant un domaine négligé.

La projection est-elle un péché?

Apparemment non.

Même si peu d'Églises ont une politique officielle sur le sujet, l'*establishment* religieux fronce généralement les sourcils devant la pratique ésotérique, parce qu'elle peut conduire à un intérêt pour les arts «noirs», ou devenir un substitut de la religion de l'individu. Manifestement, cette désapprobation étouffée s'étend aux techniques de projection; cependant, la projection en soi est trop entrelacée avec l'expérience religieuse pour être qualifiée de péché.

Cela est particulièrement évident dans les projections associées à une expérience frôlant la mort. Comme nous l'avons vu dans ce livre, de telles projections ont souvent un accent religieux : des témoignages de rencontre avec des personnages lumineux, semblables au Christ, sont courants. Même en laissant de côté ces expériences manifestes, il est difficile de discuter le fait que la projection réussie renforce fortement la doctrine (religieuse) de survie après la mort. Pour cette raison, le phénomème a attiré l'attention de plusieurs ecclésiastiques.

Un autre facteur provient de l'étude de la vie des saints. Ils laissent entrevoir que la sainteté est le talent de ce qui est appelé *ubiquité*. L'ubiquité, comme le suggère le mot, est définie comme l'habileté d'être à deux endroits différents au même moment. Plusieurs saints ont démontré cette curieuse habileté. Typiquement, ces saints étaient monastiques et leur habileté fut décelée lorsqu'on les vit dans un endroit éloigné (comme près du lit de mort du pape) alors qu'ils méditaient dans leur cellule.

Assez souvent, les saints eux-mêmes étaient incapables d'expliquer ce curieux phénomène, mais pour quiconque a étudié la projection, les mécanismes sont évidents. Un individu isolé, en méditation silencieuse, est bien placé pour se projeter. Si, au moment de la projection, les pensées de l'individu sont fixées sur un événement éloigné, comme la mort d'un supérieur religieux, le mouvement du deuxième corps vers ce site est automatique. Le premier corps (physique) demeure dans la cellule. Le deuxième (astral) vole vers sa destination éloignée.

Dans ce décor, il semble sans danger de suggérer que, bien qu'aucune quantité de projections fera de vous un saint, personne ne peut prétendre raisonnablement qu'elle fera de vous un pécheur ou une pécheresse.

Peut-on me voir lorsque je suis dans l'état projeté?

Généralement non, mais il y a des exceptions.

Cette question touche presque exclusivement la projection éthérée, puisque la projection astrale ne vous met pas normalement en contact avec personne à l'extérieur du plan.

Pendant une projection éthérée, vous serez invisible et intangible pour presque tous ceux qui sont dans leur corps physique. C'est un facteur qui peut causer une grande détresse pendant la projection éthérée ultime au moment de la mort. Les communications de spiritualistes regorgent de descriptions d'individus qui, étant morts sans s'en être rendu compte, essaient désespérément de rassurer les parents en pleurs pour s'apercevoir finalement que leurs efforts sont ignorés.

Si la plupart des gens sont incapables de vous voir, un nombre surprenant est capable de sentir votre présence jusqu'à un certain point. Cela se manifeste (pour celui qui est visité) comme un sensation de malaise, d'être observé ou menacé ou, moins souvent, comme une sensation de frisson. Les mêmes sensations, ce n'est peut-être pas surprenant, sont souvent associées aux visites de fantômes.

Certains individus talentueux, communément appelés des psychiques, seront conscients de votre présence immédiatement et il existe de bonnes preuves voulant que si vous visitez quelqu'un avec qui vous êtes intime émotivement, comme un parent, un conjoint ou un amant, les chances d'être vu augmentent.

La plupart des animaux sont beaucoup plus sensibles aux visites de projection que les êtres humains. Les chats, par exemple, semblent capables de voir les corps projetés sans trop de difficultés, mais ils vous ignoreront probablement dans l'état projeté tout comme ils le font lorsque vous êtes dans votre corps physique. Les chiens aussi ressentent les projections et sont en général plus dérangés par l'expérience que les chats.

Puis-je aller n'importe où en étant projeté?

Pas tout à fait. La projection ouvre certainement des horizons plus vastes (et moins chers!) de voyage que ceux que vous avez dans votre corps physique. Comme vous l'avez lu dans le livre, Arthur Gibson était bien capable de voyager de l'Irlande jusqu'en Inde presque instantanément et un nombre étonnamment élevé de projecteurs prétendent non seulement avoir quitté la planète, mais aussi le système solaire et avoir voyagé dans des galaxies éloignées. De tels voyage suggèrent non seulement que la projection surmonte le besoin de système de support comme l'air, la chaleur et la pression atmosphérique, mais peut aussi vous permettre de voyager plus vite que la vitesse de la lumière, l'absolu théorique dans l'univers physique.

Malgré tout cela, l'expérience indiquera qu'il y a certains endroits où vous ne pouvez simplement pas aller. J'ai déjà mentionné l'expérience de ma femme qui avait visité la maison d'amis dans l'état projeté et avait essayé d'entrer dans leur chambre pour leur dire la bonne nouvelle. Elle en fut incapable et découvrit plus tard qu'ils avaient une relation sexuelle où moment de sa visite et avaient donc besoin d'intimité. Il est intéressant de constater que le besoin semblait avoir créé une sorte de barrière invisible que ma femme, dans l'état projeté, était incapable de traverser.

De telles barrières sont peut-être plus courantes qu'on le croit. La projection fait partie de la vie humaine depuis toujours, mais je n'ai jamais entendu parler d'un cas où de l'information recueillie pendant une projection était utilisée comme outil de chantage, par exemple. Il se peut que lorsque nous entreprenons une activité dont nous avons honte, ou que nous voulons simplement garder secrète, nous élevons une barrière instinctive contre les visites subtiles. Même si cela est un mécanisme naturel, on croit qu'il a pu être maîtrisé et utilisé comme artefact. Ces suggestions sont concrétisées dans les techniques de magie rituelle.

Ce livre est assez excentrique pour ne pas vouloir approfondir le domaine des rituels. Je me contenterai de dire que toutes les opérations de magie rituelle commencent par une «préparation de l'endroit», analogue à la stérilisation avant une opération chirurgicale.

Un moyen typique utilisé pour préparer une cérémonie majeure est le rituel de banissement du pentagramme. Pour ceux que cela peut intéresser, le rituel du pentagramme se déroule comme suit :

Préparation

Chambre

Videz une pièce. Si vous ne pouvez le faire complètement, rangez les meubles sur le côté afin d'avoir un grand espace vide au milieu. Commencez par apprendre le sous-rituel de la croix cabaliste.

Sous-rituel de la croix cabalistique :

Travail extérieur

1. Levez la main droite à environ huit centimètres au-dessus de votre tête.

2. Ramenez votre main pour toucher le front.

3. En touchant le front, faites vibrer le mot *Ah-Teh.*

4. Ramenez la main pour toucher votre sternum.

5. Vibrez *Mal-Kuth.*

6. Touchez votre épaule droite.

7. Vibrez *Veh-Geb-Your-Ah.*

8. Croisez le bras pour toucher votre épaule gauche.

9. Vibrez *Veh-Ged-You-Lah.*

10. Joignez vos mains pour former une coupe à la hauteur de la poitrine.

11. Vibrez *Lay-Oh-Eem.*

12. Vibrez *Ah-Men.*

Travail intérieur

Tenez-vous debout, les bras de chaque côté, aussi relaxé que possible, et visualisez une sphère brillante d'une lumière blanche lumineuse (environ de la grosseur d'un ballon de soccer) flottant à quelques centimètres au-dessus de votre tête.

À 1, touchez la sphère avec votre main levée.

Lorsque vous baissez votre main pour toucher le front, visualisez un rayon de lumière blanche brillante émergeant de la sphère pour transpercer votre corps.

Lorsque vous touchez votre poitrine à 4, le rayon de lumière devrait être visualisé comme s'étendant tout au long de votre corps pour se terminer entre vos pieds, de façon que vous soyez totalement transpercé par une colonne de lumière blanche.

À 6, visualisez une deuxième sphère, un peu plus petite, au niveau de votre épaule droite, pénétrant partiellement votre épaule. Pensez à la sphère comme à un réservoir d'énergie.

Lorsque vous ramenez votre main à 8, visualisez-vous dessinant un deuxième rayon de lumière à partir de la sphère de l'épaule droite (Geburah), traversant votre corps pour rejoindre une sphère similaire à votre épaule gauche.

À ce stade, si vous avez bien visualisé, vous serez transpercé par une grosse croix de lumière brillante.

À 10, visualisez une petite flamme bleue et stable dans vos mains en forme de coupe.

Cela complète le rituel de la croix cabaliste. Un pentagramme magique est dessiné de la façon suivante :

Main :

Fermez le poing. Pointez l'index. Puis, pointez simultanément le deuxième doigt. Votre main est maintenant en place pour dessiner et frapper le pentagramme.

Commencez ici

Dessinez le pentagramme tel qu'illustré, en utilisant les doigts allongés de votre main droite. Commencez environ à la hauteur de votre hanche gauche. Montez jusqu'au dessus de votre tête, descendez jusqu'à la hanche droite et continuez jusqu'à ce que la figure soit complète. Ne la dessinez pas dans une autre séquence.

Le rituel complet du bannissement du pentagramme se déroule comme suit :

Travail extérieur

1. Marchez vers la partie est de la pièce et faites face à l'est.

2. Exécutez le rituel complet de la croix cabalistique, travail extérieur et intérieur.

3. Tracez un pentagramme dans les airs en face de vous.

4. Frappez le pentagramme au centre avec les doigts allongés.

5. En même temps, vibrez *Yod-Heh-Vav-Heh*.

6. Avec le bras allongé, déplacez-vous vers le sud dans le sens des aiguilles d'une montre.

7. Tracez un deuxième pentagramme, frappez-le et vibrez *Ah-Doh-Nay*.

8. Avec votre bras allongé, déplacez-vous vers l'ouest dans le sens des aiguilles d'une montre.

9. Tracez un troisième pentagramme, frappez-le et vibrez *Eh-Heh-Yeh*.

10. Avec votre bras allongé, déplacez-vous vers le nord dans le sens des aiguilles d'une montre.

11. Tracez un quatrième pentagramme, frappez-le et vibrez *Aye-Geh-Lah*.

12. Revenez à l'est et complétez le cercle en ramenant les doigts allongés au centre du premier pentagramme.

13. Étirez les bras de chaque côté afin de former une croix.

14. Vibrez *En avant de moi Rah-Fi-El.*

15. Vibrez *Derrière moi Gah-Brah-El.*

16. Vibrez *À ma droite Me-Kah-El.*

17. Vibrez *À ma gauche Or-Eye-El.*

18. Vibrez *Autour de moi brûlent les pentagrammes. Au-dessus de moi brille l'étoile à six rayons.*

19. Répétez le rituel de la croix cabaliste.

Travail intérieur

À 3, visualisez les lignes du pentagramme qui se dessinent dans le feu bleu émergeant du bout de vos doigts. La flamme obtenue de la combustion de l'alcool à brûler est exactement l'image dont vous avez besoin ici.

À 5, en vibrant le nom, imaginez le son entraîné vers l'est. (La même chose vaut pour les autres directions.)

À 6, vous devriez imaginer le feu bleu émergeant du bout de vos doigts tout en vous déplaçant. Cela décrira un quart d'arc de l'est au sud. La même visualisation effectuée à chaque point cardinal fera que vous vous trouverez dans un cercle fermé avec des pentagrammes enflammés à chaque point cardinal.

À 14, visualisez une grande forme de l'archange Raphaël devant vous, portant des vêtements chatoyants de soie changeante jaune et mauve. Imaginez une brise fraîche venant de ce point cardinal.

À 15, visualisez une vaste forme de l'archange Gabriel derrière vous, vêtu de bleu maculé d'orange, tenant un calice bleu et se tenant dans un jet d'eau au cours rapide qui coule dans le pièce.

À 16, visualisez une grande forme de l'archange Michel vêtu de rouge feu tacheté d'émeraude. Il se tient sur un sol brûlant avec de petites flammes oscillant à ses pieds et porte une épée d'acier. Essayez de sentir la chaleur intense qui émane de ce point cardinal.

À 17, visualisez une grande forme de l'archange Auriel, dont les vêtements sont un mélange de couleurs olive, citron, brun-roux et noir. Il tient des gerbes de maïs dans ses mains tendues et se tient dans un paysage très fertile.

À 18, visualisez (avec l'anneau de feu et les pentagrammes) un hexagramme de triangles entrelacés (comme l'étoile de David) flottant au-dessus de votre tête. Le triangle *ascendant* (pointant vers le haut) est de couleur rouge, le triangle *descendant* est bleu.

Cela complète le rituel intérieur et extérieur du pentagramme. Je les ai exposés en détail parce qu'il me semble pertinent pour la question de savoir où vous pouvez aller lors de la projection et pourquoi certains endroits vous sont inaccessibles.

Le rituel du pentagramme est une opération astrale et physique. Les activités de visualisation auraient tendance à créer un stress dans la lumière astrale, agissant comme une barrière ardente et des gardiens «angéliques» ardents contre l'intrusion des entités astrales. Mais exécuter le rituel sur le plan physique relie aussi les structures astrales et physiques. Ainsi, la pièce (physique) où vous travaillez est gardée, non pas, bien sûr, contre les intrusions physiques, mais très possiblement contre les entrées éthérées.

N'importe quel projecteur expérimenté vous confirmera que le rituel du pentagramme fonctionne; du moins en ce qui a trait à établir certaines structures astrales et à vider l'espace dans le cercle. De dire qu'il fonctionne sur le plan éthéré est un peu plus spéculatif, mais il y a des chances que oui. L'expérience pratique démontre qu'il y a des endroits que vous ne pouvez visiter dans l'état projeté et on soupçonne que ces endroits sont en quelque sorte *protégés* peut-être par une structure similaire à celle du rituel du pentagramme. C'est un domaine qui ne demande qu'à être étudié et les détails du pentagramme ont été fournis dans cet esprit.

Le climat et la température influencent-ils la projection?

On dit qu'il est imprudent de tenter une projection pendant un orage électrique ou une température orageuse lorsqu'il y a un degré élevé d'ions positifs dans l'atmosphère. Autrement, les conditions météorologiques ne semblent pas avoir d'influence d'aucune façon.

Certains types de personnes projettent-ils plus facilement que d'autres?

Bien que je n'aie fait aucune expérience formelle sur cette question, mon expérience indique que les psychiques, incluant les médiums, ont tendance à se projeter facilement et à atteindre facilement des transes hypnotiques profondes. Étant donné que les sujets qui ont des transes hypnotiques profondes sont de bons projecteurs, je crois qu'il existe une connexion dans les trois directions.

En dehors de cela, j'ai remarqué fréquemment que les types de personnes enclins au questionnement rationnel trouvent la projection difficile, sinon impossible. La même chose est vraie pour les genres de personnalité rigide cachant un manque de confiance. Les meilleurs projecteurs semblent avoir un degré de confiance élevé, des preneurs de risques n'ayant pas peur de nouvelles expériences, intelligents et capables de se concentrer profondément et de visualiser clairement.

La projection pourrait-elle remplacer l'aérospatial comme la forme la plus prometteuse de voyage dans l'espace?

J'aimerais bien le croire, mais les témoignages qui existent sont contre cette idée. Malgré les mentions de projecteurs qui ont quitté la planète, presque tous les voyages de projection dans d'autres mondes et au-delà du système solaire ont été décrits comme très différents de ce que nous connaissons de l'univers.

Certains projecteurs ont décrit, par exemple, des civilisations avancées sur la Lune, Mars et Vénus. Les scientifiques ont longtemps cru que cela était absurde et les sondes spatiales ont confirmé, depuis, que les scientifiques avaient raison.

Lorsque Carl Jung «quitta la planète» dans sa projection frôlant la mort, il arriva sur un rocher flottant dans l'espace. Il y a vraiment des rochers qui flottent dans l'espace (on les appelle des astéroïdes) mais Jung continua en décrivant la rencontre d'humains, ou du moins d'humanoïdes, des entités vivant là, apparemment sans le bénéfice de l'air, de l'eau et de la nourriture.

Clairement, des visions de ce genre sont de la nature du plan astral et ont peu de relation avec la réalité physique. La projection éthérée au-delà de l'atmosphère planétaire est peut-être possible, mais je n'ai jamais eu de preuve convaincante qu'elle avait été réussie. Le témoignage qui s'en rapproche le plus est, assez curieusement, celui qui a été rédigé par le très peu considéré George Adamski qui affirmait, dans les années 1950, avoir rencontré un Vénusien à la suite de l'atterrissage d'une soucoupe volante.

Adamski insista par la suite qu'il avait été emmené dans la soucoupe volante et avait fait le tour de la Lune, offrant à l'humanité le premier regard sur la face cachée du satellite. (L'axe de rotation de la Lune est si bien synchronisé avec son orbite qu'elle présente toujours le même côté à la terre.) Sa description de la face cachée de la Lune était si naïvement bizarre que même ses disciples avaient du mal à le prendre au sérieux.

Des sondes autour de la Lune montrèrent par la suite que la face éloignée était semblable à la face exposée : un paysage de cratères. Mais ces mêmes sondes ont aussi démontré que lorsque la Lune était photographiée d'une certaine hauteur, les conditions d'éclairage sur la face cachée créaient une illusion d'optique particulière, et que la surface prend une *apparence* similaire à celle qu'a décrite Adamski. Adamski fut aussi le premier à rapporter l'effet étrange des «mouches à feu», noté par plusieurs astronautes lunaires par la suite.

S'il ne s'agit pas d'une coïncidence, la question de savoir où Adamski a obtenu ses informations se pose. Pour plusieurs de ses disciples, il n'y a aucun problème : il a rencontré un Vénusien et fut emmené dans une soucoupe volante. Pour ceux d'entre nous qui ont de la difficulté à accepter les Vénusiens, dont les structures corporelles semblent être formées précisément par les mêmes forces évolutionnistes qui ont formé la nôtre (ou accepter l'existence des Vénusiens, étant donné ce qu'on sait des conditions à la surface de cette planète aride), c'est beaucoup plus difficile. Adamski semblait certainement avoir découvert certaines choses sur la Lune et le voyage dans l'espace qui furent confirmées seulement une décennie plus tard. Si ses informations ne proviennent pas d'un vaisseau vénusien, alors peut-être (seulement peut-être) était-il un projecteur au talent inhabituel.

Les animaux peuvent-ils se projeter?

Jusqu'à maintenant, il semble que l'homme soit le seul animal à être capable de projeter son corps éthéré. Mais c'est différent sur le plan astral. Des projecteurs ont souvent dit qu'ils avaient rencontré des chats et plusieurs insistent que leur chien les suit.

Même si cela met la crédulité à l'épreuve, je dois rapporter la rencontre dans le plan astral avec des chats qui étaient morts (du moins sur le plan physique). Lorsque le contact eut lieu, ces animaux communiquaient plus facilement avec leurs compagnons humains qu'ils ne le faisaient pendant leur vie.

Le plan astral est-il la même chose que le Bardo Thodol du bouddhisme tibétain?

Oui. Le bouddhisme tibétain a été popularisé en Occident avec le *Livre des morts tibétain*, qui donne l'impression que le plan du Bardo est un état post-mortem. D'autres écrits tibétains, cependant, disent très clairement que les disciplines du yoga permettront à l'expert de visiter le Bardo alors qu'il est encore bien en vie. Cela, plus la ressemblance du Bardo avec l'état de rêve et les descriptions ramenées par des visiteurs tibétains du Bardo, confirme que le Bardo et les plans astraux sont identiques.

Y a-t-il des aides mécaniques à la projection?

À part celles qui ont déjà été mentionnées dans ce livre, il existe des suggestions intrigantes voulant qu'une des structures les plus grandes de l'antiquité était en fait une machine provoquant la séparation des corps subtils du physique. Cette structure est la grande pyramide de Chéops.

Sous tous les aspects, la grande pyramide est un édifice impressionnant. Elle est située sur une plate-forme élevée artificiellement de 2,6 km² à Gaza, à environ 16 km à l'ouest du Caire, et installée sur une base qui couvre 52 km². On estime que sa construction a nécessité un demi-million de blocs de pierre à chaux et de granit, certains pesant jusqu'à 64 tonnes métriques; assez de pierres pour bâtir toutes les cathédrales, églises et chapelles construites en Angleterre depuis l'ère chrétienne... et il en resterait!

Il y a suffisamment de mystères associés à la grande pyramide pour occuper les archéologues et les scientifiques pendant le prochain millénaire. Sa structure exprime la valeur *pi*, par exemple, alors que la pyramide est installée, peut-être sans coïncidence, sur la ligne joignant les pôles qui passe sur l'ancien continent. La précision de sa construction et son orientation sont étonnantes. Dans l'air sec d'Égypte, son sommet génère une électricité statique considérable, produisant des manifestations étranges de lumières fantomatiques dans les conditions météorologiques adéquates.

La sagesse traditionnelle veut que la pyramide ait été construite comme le tombeau du pharaon Khufu (Chéops est son nom grec) même si aucune momie ou autre indication d'inhumation n'a été trouvée. Il y a cependant un sarcophage de granit de couleur chocolat dans une pièce au centre de la pyramide et environ au tiers de la hauteur. Le sarcophage, et le style de toit, a amené la chambre à porter le nom de la «Chambre du Roi», en supposant que le corps de Khufu reposait là jusqu'à ce qu'il soit, avec les trésors traditionnellement enterrés avec un pharaon, enlevé par des pilleurs de tombeaux à un moment dans l'histoire.

Cette théorie présente cependant certains problèmes, dont le moindre n'est pas le fait que les pharaons égyptiens avaient tendance à s'inquiéter eux-mêmes des pilleurs de tombeaux, car la profanation de la momie et de certaines statues enterrées avec elle mettait fin aux espoirs de survie après la mort. À cause de cette paranoïa, la plupart des dirigeants égyptiens choisissaient d'être enterrés dans une mausolée secrète plutôt que dans un tombeau spectaculaire qui attire l'attention du monde entier.

Mais si la pyramide n'a pas été construite comme tombeau, l'énigme de sa raison d'être demeure. Quel avantage pourrait avoir une culture à investir tellement d'efforts et de temps dans une seule construction? Selon plusieurs auteurs, dont Manly P. Hall, la réponse se trouve dans les mystères égyptiens.

Les religions mystérieuses étaient une particularité de plusieurs civilisations anciennes. Elles étaient caractérisées par la revendication d'un savoir secret qui était révélé au candidat une fois qu'il avait passé une série de tests dans un processus d'initiation. Dans certains mystères, le processus d'initiation était largement symbolique, comme les francs-maçons modernes. Dans d'autres, les tests comprenaient des drogues et des expériences dangereuses, mettant parfois leur vie en péril. Les secrets qui étaient alors révélés sont plus une question de spéculation que de certitude, mais des indices se retrouvent habituellement dans la culture qui donna naissance au mystère. La culture égyptienne avait, bien sûr, une obsession centrale : la survie après la mort physique.

Cette obsession a mené au développement d'une compétence dans la momification inégalée ailleurs sur la terre. Les techniques de bandage égyptiennes n'ont pas encore été égalées. Les aristocrates investissaient beaucoup de temps et une bonne partie de leur fortune dans la construction de tombeaux élaborés et secrets, qui avaient autant de provision qu'un sous-marin à la veille d'un long voyage. La momie était accompagnée de nourriture, d'argent, d'armes, de vêtements, d'ornements, de trésors et même de gardiens et de servants sous la forme de statuts spécialement assignées. Les prêtres recevaient des sommes considérables pour protéger les tombeaux avec des fétiches et des sacrements magiques; et certains semblent avoir mérité leur rémunération si on en juge par ce qui est arrivé aux membres de l'expédition dans le tombeau du pharaon Toutankhamon.

La doctrine égyptienne concernant la vie après la mort semble curieuse aux hommes modernes, car les Égyptiens croyaient que chacun de nous possède un certain nombre d'âmes. Le *ka*, ou le double, était intimement associé à la momie physique. Le *ba*, ou l'âme oiseau, s'envolait du corps au moment de la mort, mais comme il aimait rester dans les environs, on retrouvait habituellement un perchoir dans le tombeau. Le *ib*, ou la terre, allait au Halle du jugement d'Orisis, où il était pesé contre une plume et condamné s'il pesait trop lourd à cause des péchés.

Peu importe le Halle du jugement, ceux qui étudient la projection seront intéressés par le reste de la doctrine. Le *ka*, par exemple, ressemble étrangement au corps éthéré, alors que le *ib* pourrait bien être ce véhicule plus subtil destiné à opérer dans le plan astral.

Mais si les Égyptiens connaissaient les corps subtils, il semble possible, et même probable, qu'ils aient su aussi que ces corps pouvaient être séparés du physique sans danger avant la mort. C'est précisément ce que suggèrent Hall et plusieurs autres auteurs.

Avec tout cela, nous glissons vers ce qu'on appelle le pouvoir de la pyramide. Depuis qu'un inventeur tchèque a reçu un brevet pour un taille-crayon en forme de pyramide miniature, les excentriques et les curieux ont poussé leurs expériences assez loin pour déterminer si la forme géométrique de la pyramide attirait, générait ou condensait une forme d'énergie jusqu'ici inconnue. Les pyramides font sans aucun doute *quelque chose*. En plus de renouveler le tranchant d'une lame de rasoir, une structure pyramidale préserve et déshydrate des matières organiques qui y sont correctement placées. Curieusement, l'emplacement adéquat des matières dans la pyramide miniature correspond à l'emplacement réel de la chambre du roi dans la vraie pyramide.

Dans une orgie d'expérimentations amateur, qui a suivi le regain d'intérêt pour le pouvoir des pyramides il y a quelques années, on a construit et utilisé des tentes pyramidales comme appareils de guérison et outils de méditation, en présumant curieusement, et peut-être naïvement, que la force qui aiguise les lames de rasoir, qui tue les bactéries et qui déshydrate la viande pouvait être bonne pour vous.

Un des expérimentateurs, le mystique et explorateur Paul Brunton, aurait peut-être émis un avertissement s'il avait encore été vivant. Avant la Seconde Guerre mondiale, alors que les Anglais avaient encore de l'influence en Égypte, Brunton réussit à obtenir la permission de passer une nuit dans la grande pyramide. Dans un moment de fantaisie admirablement courageuse, il éteignit ses lampes et monta sur le sarcophage de granit dans la chambre du roi. La chambre était remplie d'une curieuse lumière interne et Brunton plongea dans une expérience visionnaire spectaculaire et terrifiante.

Il est, bien entendu, tout à fait possible que l'expérience de Brunton ait été causée par l'autosuggestion. Il s'attendait à ce que quelque chose d'étrange se produise et son inconscient créa obligeamment quelques hallucinations spectaculaires pour qu'il ne soit pas désappointé. Mais cette référence à une lumière interne est intrigante car elle fut mentionnée par un autre visiteur de la grande pyramide, le fameux magicien Aleister Crowley.

Crowley arriva dans la pyramide pendant la lune de miel de son mariage désastreux avec Rose Kelly et ils virent tous les deux le phénomène de la lumière. Cependant, le phénomène était assez familier à Crowley à cause de son expérience dans les rituels et la projection. Il reconnut tout de suite qu'il s'agissait d'une lumière astrale.

Dans ce contexte, les théories proposées pour expliquer la pyramide ne semblent plus aussi bizarres. Ces théories prétendent que la pyramide, loin d'être un tombeau, était en fait un lieu d'initiation. Les aspirants aux mystères étaient conduits dans son sombre intérieur et, après plusieurs épreuves, étaient amenés dans le sarcophage de granit. Là, les énergies de la pyramide provoquaient une séparation automatique des corps subtils et l'initié se projetait soit dans son corps éthéré, soit dans l'environnement lumineux du plan astral. D'une façon ou d'une autre, il revenait dans son corps, convaincu que la vie après la mort était une réalité.

Les femmes se projettent-elles plus facilement que les hommes?

Non. Il ne semble y avoir aucune différence d'habileté entre les sexes.

Le régime influence-t-il l'habileté à se projeter?

Comme il a été mentionné ailleurs dans ce livre, on a prétendu que oui, mais mon expérience n'a pu le confirmer. Cependant, peu importe votre régime alimentaire, les tentatives de projection immédiatement après un repas lourd ont moins de chances de réussir qu'en d'autre temps. Le même mécanisme conduit au conseil judicieux de manger quelque chose, même juste un biscuit et un thé, immédiatement après être revenu d'une séance de projection, car cela aide à «revenir sur terre».

La projection est-elle un talent relativement nouveau?

Loin de là. Comme nous l'avons vu dans une réponse précédente, il semble que les Égyptiens anciens connaissaient la projection. Mais même eux arrivaient en retard.

La plus vieille religion du monde est le chamanisme, un système de croyances qui remonte littéralement à la préhistoire. Le chamanisme existe encore, dans des communautés primitives à travers le monde; et il jouit d'un regain inattendu en Angleterre au moment où ce livre est écrit et a même son propre magazine.

Au centre du chamanisme est le personnage du chaman, un genre de magicien prêtre dont l'entraînement vise presque exclusivement à provoquer la projection sur le plan astral. L'habileté s'obtient grâce à un entraînement rigoureux, qui exige parfois l'usage de drogues à base d'herbes, et des états de transe provoqués par la danse et le tambour.

Y a-t-il un lien entre la projection et le sexe?

Oui. La projection temporaire spontanée au moment de l'orgasme n'est pas exactement un phénomème quotidien, mais elle n'est pas non plus rare, même si ceux à qui cela arrive sont souvent trop distraits pour reconnaître ce dont il s'agit. Pour cette raison, des systèmes de projection sexuels ont été développés, même si l'usage du sexe pour aider la projection est plus commun en Orient qu'en Occident.

Ce que je fais dans l'astral peut-il influencer des événements du physique?

Au moins 90 p. cent des pratiques magiques enseignées dans les écoles ésotériques occidentales sont basées sur l'hypothèse que c'est possible. Cela vient en grande partie de la doctrine cabalistique. Au centre de la cabale moderne se trouve le glyphe connu comme l'arbre de vie, qui comprend 10 cercles, symbolisant des sphères de fonction dans la nature de la réalité, et les différents chemins qui les unissent, indiquant, entre autres choses, la complexe interrelation de l'arbre.

Au risque de trop simplifier, la sphère inférieure de l'arbre, appelée Malkuth par les cabalistes, signifie l'aspect physique de la réalité ou, plus concrètement, le monde dans lequel nous vivons.

Juste au-dessus de Malkuth se trouve Yesod, associé à la fonction lunaire et symbolisant le plan astral qui a fait l'objet d'une bonne partie de ce livre. Le nom français de Yesod est *fondation*, choisi parce que le mot indique la nature essentielle de la sphère. Pour les cabalistes, Yesod, la sphère de l'imagination et de la lumière astrale, est la fondation sur laquelle repose la réalité physique.

Cela est contraire au point de vue exprimé dans ce livre, à savoir que le plan astral est si malléable que la simple présence de structures physiques (comme une montagne) peut en influencer le paysage. Mais bien que l'influence la plus apparente et la plus évidente soit du physique à l'astral, une influence beaucoup plus profonde se manifeste dans la direction contraire.

En y pensant un instant, on peut voir une certaine justification de cette notion. En considérant que le plan astral est intimement lié à l'imagination humaine, nous pouvons voir clairement que les grandes symphonies, les romans et les travaux d'art graphique ont tous commencé à se développer dans l'astral avant de faire leur apparition dans la réalité physique. Ainsi, d'un point de vue très réel, la structure astrale forme la *fondation* du physique.

Mais le processus ne se limite pas aux oeuvres artistiques. Les édifices prennent aussi forme dans l'astral, alors que les architectes dessinent leurs plans. Les inventions apparaissent dans le plan astral avant qu'un prototype ne soit construit. Un peu plus abstraitement, les relations émotives ont des débuts internes, tout comme plusieurs idées politiques et mouvements sociaux. Cela revient à l'expression que la pensée précède le geste. Mais les pratiques magiques poussent le tout beaucoup plus loin.

Un coup d'oeil à la description du rituel du pentagramme exposé plus tôt montre qu'il a deux aspects : interne et externe. Toutes les cérémonies magiques suivent ce modèle et c'est la partie interne qui permet à la technique magique de demeurer secrète alors que l'aspect physique est bien connu.

L'analyse des opérations magiques même les plus simples révèle, dans presque tous les cas, ce double aspect. Un des exemples les plus primitifs de magie implique l'utilisation d'une *poupée* qui tient la place d'un être humain à qui le sort est destiné. De nombreuses histoires d'horreur portent sur ce thème, généralement illustrées par une poupée vaudou dans laquelle on insère des aiguilles. La magie s'assure que lorsque l'aiguille est enfoncée dans la poupée, la victime ressent la douleur à l'endroit correspondant sur son corps. Mais le bon sens et un peu d'expérience indiquent rapidement que rien de tel ne se produit, sinon, toutes les poupées des petites filles nommées d'après une personne feraient des ravages lorsqu'elles se brisent.

Cependant, la magie des poupées *fonctionne* avec un praticien expérimenté, et on peut y recourir pour guérir aussi bien que pour faire souffrir. Mais la poupée n'en est pas la cause. La vraie magie est dans l'esprit de celui qui l'utilise. La poupée n'est rien de plus que le focus de visualisation d'une opération astrale. Le vrai simulacre du patient ou de la victime est créé dans le plan astral, la poupée servant de lien physique. Alors, ce qui est fait au modèle astral se manifeste sur le corps physique de la personne en question par l'intermédiaire des propres liens de l'individu (souvent inconscients) avec la plan astral.

C'est un exemple spectaculaire, quoique limité, mais l'expérience indique qu'une structure construite sur le plan astral, si elle est stabilisée, a tendance à se manifester dans le physique.

Y a-t-il des plans au-delà de l'astral?

Oui. Tout comme on peut atteindre le plan astral en se déplaçant de l'éthéré dans une nouvelle direction, on peut aussi atteindre d'autres plans, encore plus subtils, en se déplaçant vers le haut en partant de l'astral...

Le yoga oriental (et par association des systèmes comme la théosophie) classe les plans comme suit :

Astral supérieur
Mental inférieur
Mental
Mental supérieur
Spirituel inférieur
Spirituel
Spirituel supérieur

Avec l'astral que nous avons déjà examiné, on obtient le chiffre mystique sept comme nombre de plans, même si le nombre a probablement plus de signification pour ceux qui aiment la classification qu'il en a en réalité.

Les étiquettes données à ces plans ne sont pas d'une grande aide, même si elles essaient de nous dire quelque chose sur la nature des plans décrits. Ainsi, alors que le plan astral est associé à l'imagination, les plans mentaux sont reliés d'une façon quelconque à des modes d'activités mentales plus abstraits et les plans spirituels sont associés à notre sensibilité la plus évoluée et la plus subtile.

Mais cela nous donne peu d'indications concernant la nature des autres plans; certains projecteurs découvriront qu'ils sont capables d'expérimenter directement certains ou plusieurs de ces niveaux subtils. Tout le monde ne peut pas le faire, et plus un projecteur «s'élève», plus il est difficile d'entrer dans les plans supérieurs.

Les efforts pour découvrir ses propres limites en valent la peine cependant, car les plans subtils ont des caractéristiques aussi intéressantes que l'astral, mais sont beaucoup moins explorés. En fait, certains présentent des expériences intrigantes. Un projecteur avec qui j'ai travaillé s'est retrouvé dans un plan, aveugle, mais cette personne pouvait néanmoins sentir les entités qu'elle reconnut comme étant des anges. Ils étaient puissants, unidirectionnels et manquaient étonnamment de chaleur.

TRI-GRAPHIC